北欧こじらせ日記 フィンランド1年生編

週末北欧部
chika

世界文化社

ついに
寿司職人として
フィンランドに
移住した私は…
Omari
Mekko

1年後、失業のため
部屋で履歴書を
書き直していた。

20歳の時に初めて一人で訪れたフィンランド。
私…いつか ここに住みたい…！
私は、この国に一目惚れをした。
それからというもの私の人生はフィンランドが中心になった。
Haluan juoda miehen pöydän alle väsyttää loput puheillani
こねり
深夜にシナモンロール作り!?
平日は会社員として忙しい日々を送っていても
北欧には住めなくても… 自分らしく北欧を楽しもう
せめて… 週末だけは
そんな諦念も込めて「週末北欧部」というブログを始めた。

会社員として
働くかたわら、週末には
「自分が何をしたいのか」を
知りたくて、
様々なトライを繰り返し…
カフェ修業
北欧食器バイヤー
どうせ苦労するなら、
思いっきり好きなことで
苦労したい！　と思い
そうだ！フィンランドで
働こうッ…!!!
ジーニアス
…という大転換！
文系キャリアで
フィンランド語もできず
英語力も中級止まりの
私には難しい道だけど…
これだ…!!
SUSHI
Chef
海外就業に強い
寿司職人の道を
見出した。

こうして31歳の時に
寿司学校の
週末コースに入学。
もっと早く！
会社員を続けながら
東京で3年間の
寿司修業を続け…
意を決して挑んだ
WEB面接を経て、
フィンランドの
お寿司屋さんから
内定をもらい…
夢って…
叶うんだ…！
コロナ禍の2022年、
ついに私はフィンランドで
寿司職人になった。
テルヴェトゥロア
Tervetuloa!
いらっしゃいませ
モイ！
…はずだった。

…が、私はまた自分の履歴書を更新している。

カタタタ…

あれっ…〝志望動機〟って英語でなんて言うんだっけ…⁉

フィンランド移住前…きっと、予想もできないことが起こるだろうと覚悟していた。

そして、そんな未来も〝生きている〟という手応えに変えていきたいと思っていた。

ぽふ
生きてるって…手応え感じるなァ…

これはそんな…北欧好きをこじらせた私の、リアルな「フィンランド1年生」の記録です

もくじ

1 暮らし作り

新しい暮らし 12
築100年のアパート 15
フィンランドのアパート 18
ご近所付き合い 22
アパートとサウナ 24
暮らし初心者 26
お気に入りの雑貨と家具 30
タイムレス 32
お気に入りの雑貨・家具店 3選 35

2 フィンランドのキャリア観

就業3日前 38
［キャリアのはなし①］知れば知るほど好きになる 43
悲願のレストラン 44
パートオブライフ 46
働き方 49
人望 51
オープンに話そう 54
シェフである前に 57
自由なキッチン 60

3 レベルアップ

ありのままの価値 64
うむの時は 68
お寿司の一日 73
苦手な人には丁寧に 75
［キャリアのはなし②］2割・7割・1割の法則 77
まかない作り 79
レベルアップ 84
お魚ソースレシピ 88
僕たちのスタイル 90
フィードバック面談 95

4 フィンランドの四季

からっぽの日 102
リアル・フィンランド 105
ある1週間のスケジュール 108
無給休暇 110
日曜日の同盟 111
お気に入りの美術館&博物館 5選 113
好きなことを 115

本書は、シリーズ『北欧こじらせ日記』『北欧こじらせ日記 移住決定編』に続くお話ですが、本書からでもお読みいただける構成になっています。

冬の影 119
サードプレイス 121
私のサードプレイス 126
余白がほしい 128

5 あたらしい生き方

好きでいられる範囲 134
今だ。 136
当たり前バス 139
［キャリアのはなし③］カマス理論 143
月がキレイだ 145
It is what it is. 146
ミッションインポッシブル 149
ロシア人シェフのサプライズ 150
特別なチップ 152
クリスマスプレゼント 157
大晦日 160

6 その日は突然に

新メニュー 164
たとえば10年後 168
美しい日 170
その日は突然に 173
倒産当日 177
レストランの限界 179
最後の出勤 181
失業手当 184
就職相談 186
失業旅行 192
あの時の手紙 194
ラップランド ひとり旅で訪れた場所 197
ラップランドの空の下 199
フィンランドの起業家精神 204
個人事業主ビザ 207
それぞれの道 214
おわりに 220

※本書に掲載している情報は、2023年9月現在のものです。

空っぽのアパートに
「自分らしいモノ」を迎えるたびに、
少しずつ〝自分の家だ〟と
思えるようになった。

暮らし作り

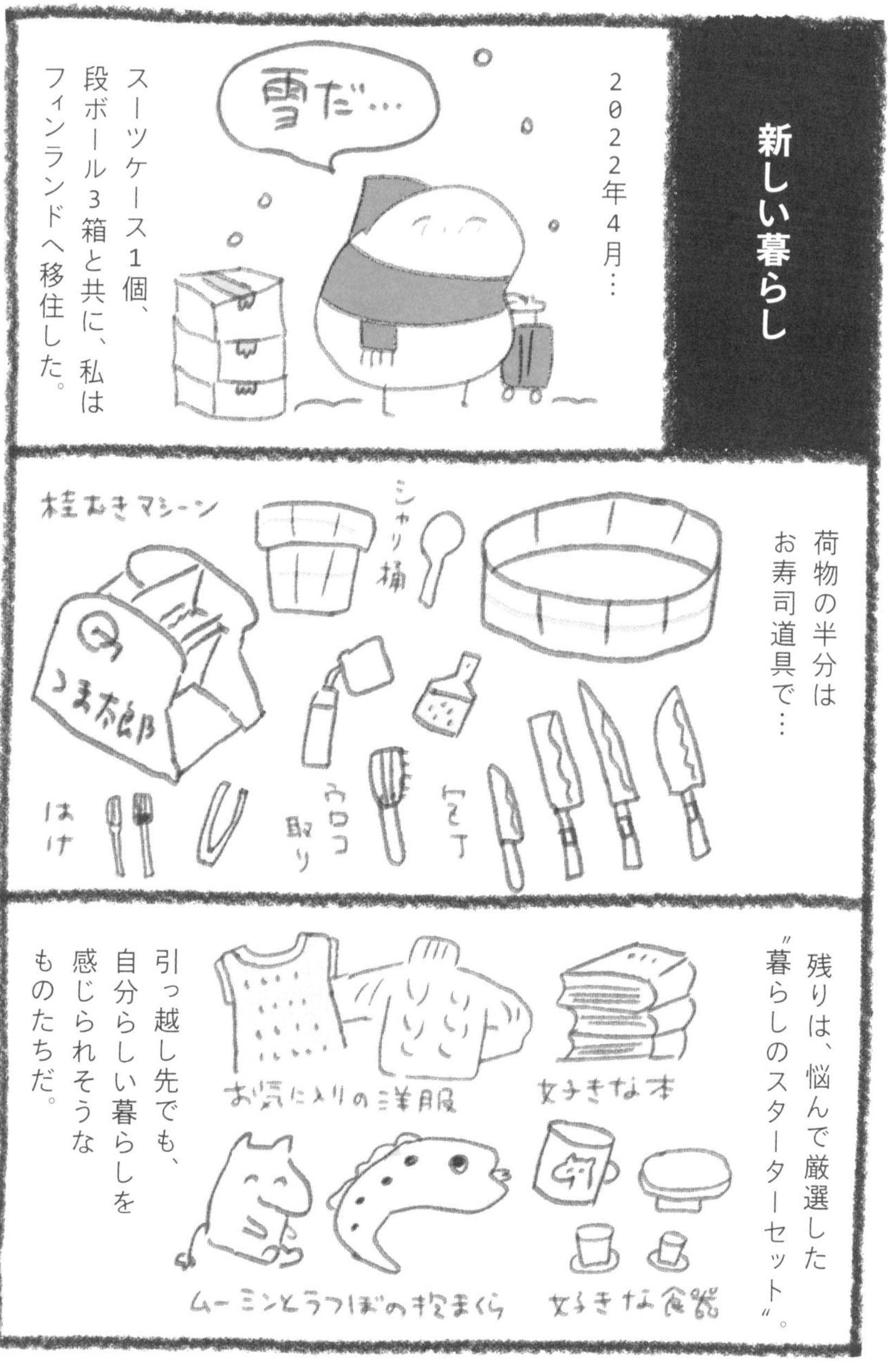
新しい暮らし
2022年4月…
雪だ…
スーツケース1個、段ボール3箱と共に、私はフィンランドへ移住した。
荷物の半分はお寿司道具で…
シャリ桶
桂むきマシーン
つま太郎
包丁
ウロコ取り
はけ
残りは、悩んで厳選した〝暮らしのスターターセット〟。
引っ越し先でも、自分らしい暮らしを感じられそうなものたちだ。
好きな本
お気に入りの洋服
好きな食器
ムーミンとうつぼの抱まくら

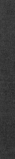

東京の小さなアパートで
人生のダイジェストを
詰め込みながら
今までの人生が
段ボール3箱に…！
これからの
暮らし作りに
心が躍った。
ライフプランが
決まらなくて今まで
買えなかったけど…
次のアパートでは
大きな家具も
お迎えしたいな
が…。
いっ…移住して
数カ月経つのに…
給料がもらえないッ
わななななッ

というのも、移住後の銀行口座の開設には想像以上に時間がかかった。
まずは住民登録
次に空いているのは2週間先です。
銀行のアポ予約
最短でも次は3週間先ですね。
発行手続き
ホリデーシーズンで休みを取るので7週間かかります。
職場ではフィンランドの銀行口座がないと給料が振り込まれず…
チカ、口座の状況はどう？
ボス
銀行とのアポイントが全然とれなくて…
さらにアパートのレンタルも銀行口座がないと申し込みすら難しい…！
不動産サイトのログインにも銀行口座が必要…!?
暮らし作りは前途多難だ。

築100年のアパート
友だちのアパートに空き室が出るんだって！もし興味あれば紹介できるよ！
本当!?
こうして友だちの友だちが所有するお部屋の内見へ。
家族代々で所有している築100年のアパートだよ
ヨーロッパでは〝古い物ほど価値がある〟と考えられていて…
このエリアでも古い建物が多く保存されているんだ

キッチンは最近リノベーションして…玄関ドアも電子キーなんだ
ピッ
ハイテク…!!
こうしてリノベーションしながら古い建物を大切にしているようだ。
冷蔵庫に食洗機もあるよ
まぁフィンランドでは大型家電が付いているのは基本だけど…
うちは…洗濯機も部屋にありますッ…!!
推しポイント!
重要ッ
サッ
古い建物は水道管を動かすのが難しく、昔の名残で共用の洗濯機が地下室にあることも多いのだ!

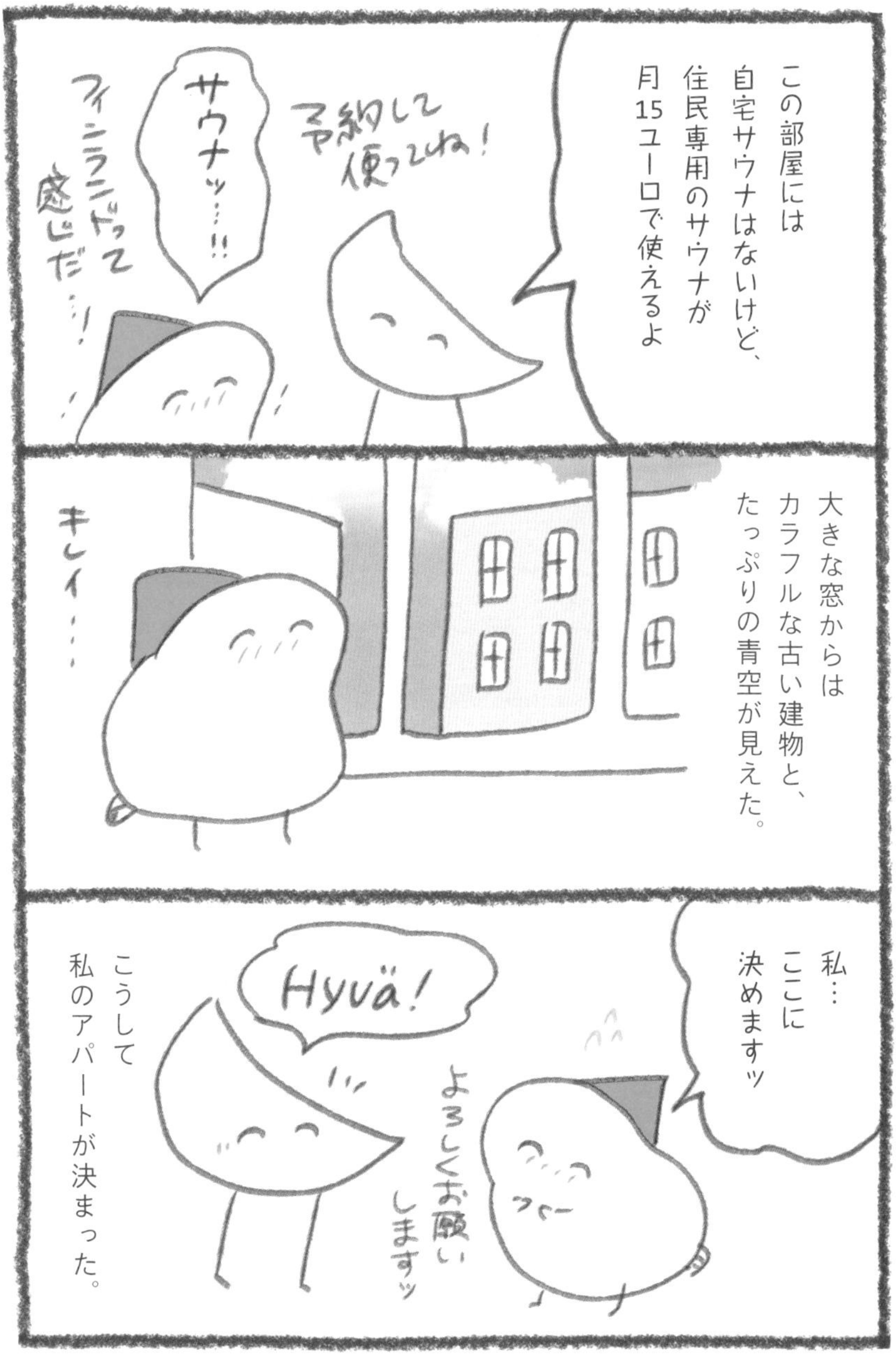
この部屋には
自宅サウナはないけど、
住民専用のサウナが
月15ユーロで使えるよ
予約して使ってね！
サウナッ…!!
フィンランドって感じだ…！
大きな窓からは
カラフルな古い建物と、
たっぷりの青空が見えた。
キレイ…
私…
ここに
決めますッ
Hyvä!
よろしくお願いしますッ
こうして
私のアパートが決まった。

フィンランドのアパート

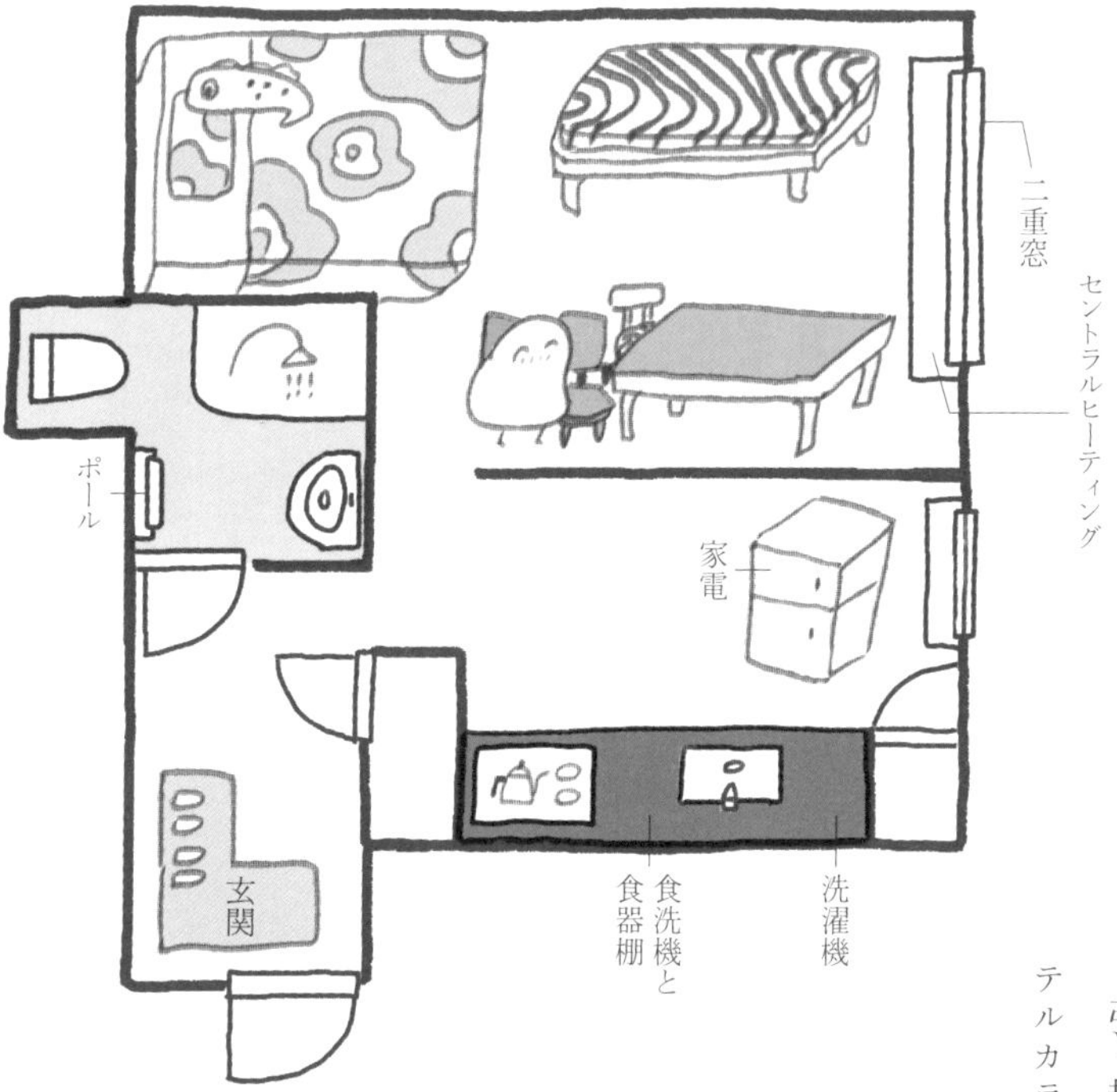

引っ越したアパートは築100年で、パステルカラーの外観がかわいい。

「古いものほど価値がある」という考え方のもと、リノベーションを繰り返して長く愛され続けている建物だ。

間取りは1Kで、広さは約30㎡。バルコニーはないけれど、大きな窓からはたっぷりと光が入る。フィンランドのアパートに引っ越してみると、日本のアパートとの違いがたくさんあった。

家電

アパート探しをしていると、どのアパートにも大型家電は最初から備わっていることに気づく。洗濯機、冷蔵庫、食洗機、オーブン…大きな買い物の心配をしなくていいのは嬉しかった。

二重窓

北欧の窓は大きい。限りある日光を最大限にお部屋に招くためだ。寒い冬に備えた断熱効果のある「二重窓」が定番。ブラインドカーテンが備え付けられていて、窓を開け閉めせずに操作できる。

セントラルヒーティング

お部屋を暖かく保ってくれるのは、大きな湯たんぽのようなセントラルヒーティング。アパートのボイラーで沸かしたお湯が循環していて、いつも室温を一定に保ってくれる。触ってもやけどしないくらいの温度なので、タオルや靴下を置いて乾かすこともできる。

便利なポール

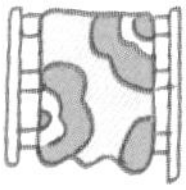

シャワー室にもお湯が循環しているポールが備え付けられていて、タオルやシーツを干せる。

洗濯機

築100年を超えるアパートでは、内装はリノベできても水道管の修理は難しい。そのため、各部屋に洗濯機を配置できず、地下室に共用の洗濯スペースがあるアパートも多い。部屋の中やシャワールームで洗濯物を干すことが多いのは、冬のマイナス気温で服も凍ってしまうためだ。

食器棚と食洗機

収納と水切りを兼ねた食器棚は、私のお気に入り。さらに、フィンランドのキッチンには基本的に食洗機が設けられている。共働きの多いフィンランドでは、家事の効率化も文化のひとつなのかもしれない。

収納スペース

自分の部屋とは別に、住民専用の「収納スペース」が屋根裏にある。最初に見た時は「なんだか牢獄みたいで、ちょっぴり怖いな」と思った。今はまだモノが少ないので一度も使っていないけれど、いつか使いこなしてみたい。

玄関

フィンランドでは日本と同じく、室内は靴を脱ぐ習慣がある。日本のように玄関スペースと居住スペースの間に境目がないので、自分でマットを買ってきて「靴脱ぎスペース」を自作するのが一般的だ。

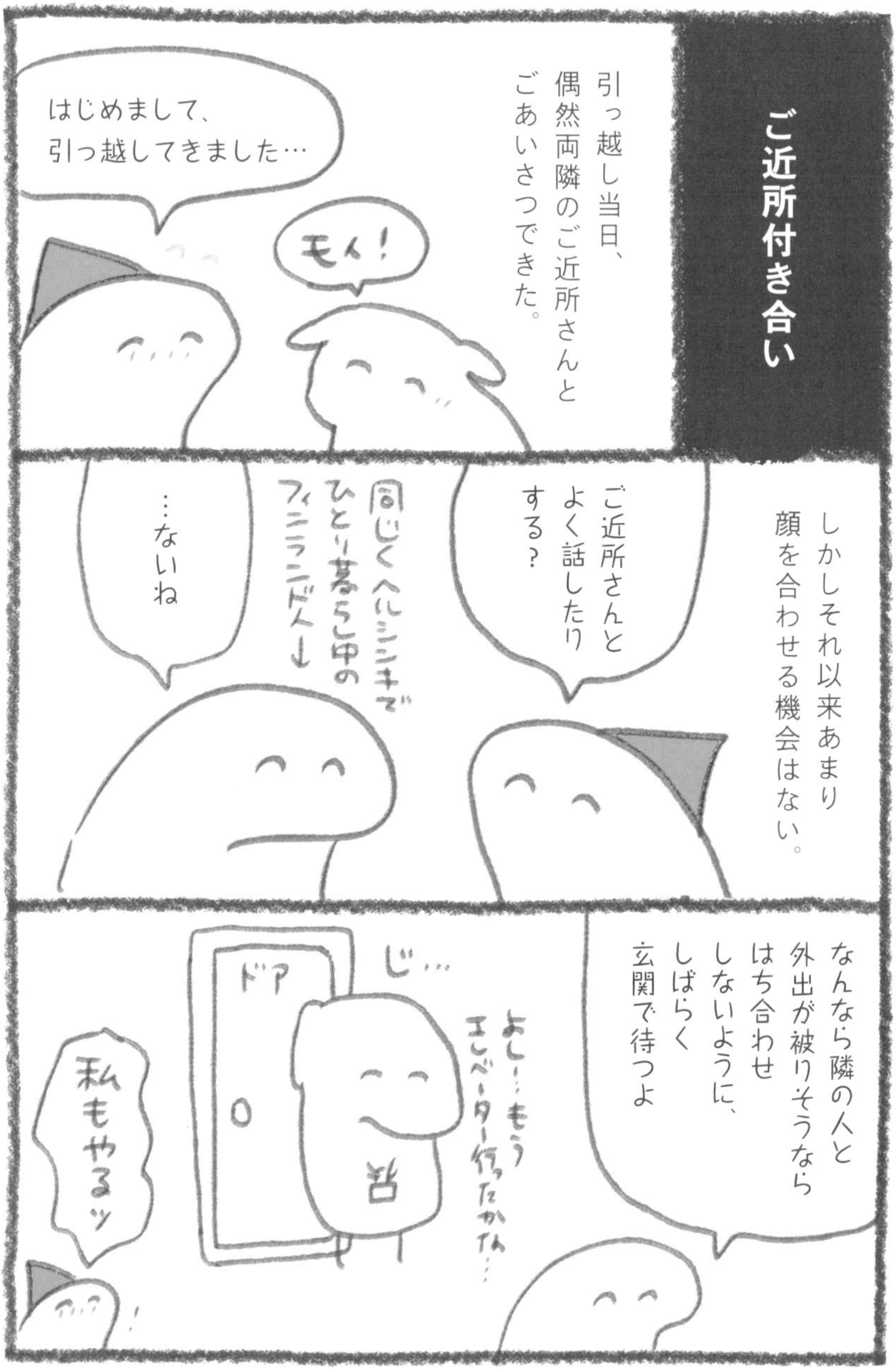
ご近所付き合い
引っ越し当日、偶然両隣のご近所さんとごあいさつできた。
はじめまして、引っ越してきました…
モイ！
しかしそれ以来あまり顔を合わせる機会はない。
ご近所さんとよく話したりする？
同じくヘルシンキでひとり暮らし中のフィンランド人↓
…ないね
なんなら隣の人と外出が被りそうならはち合わせしないように、しばらく玄関で待つよ
じ…
ドア
よし…もうエレベーター行ったかな…
私もやるッ
!

あとコレ見てよ
Wifi?
Wifi
ON
DNA-WIFI XXX
Leila
koti
パソコン
ご近所さんのWi-Fi名が…
GELLA
Koti_41FD
Koti_41FD_5G
Leila-2G
Leila-5G
OLEHILJAANAAPURI2
Paratiisi-seurakunta
wire
Join Other Network...
Create Network...
Open Network Preferences...
“静かな隣人になりましょうね”
うるさいから
静かにしろって
意味だね…
間接的…!!
絶妙な距離感に
シンパシーを感じた…

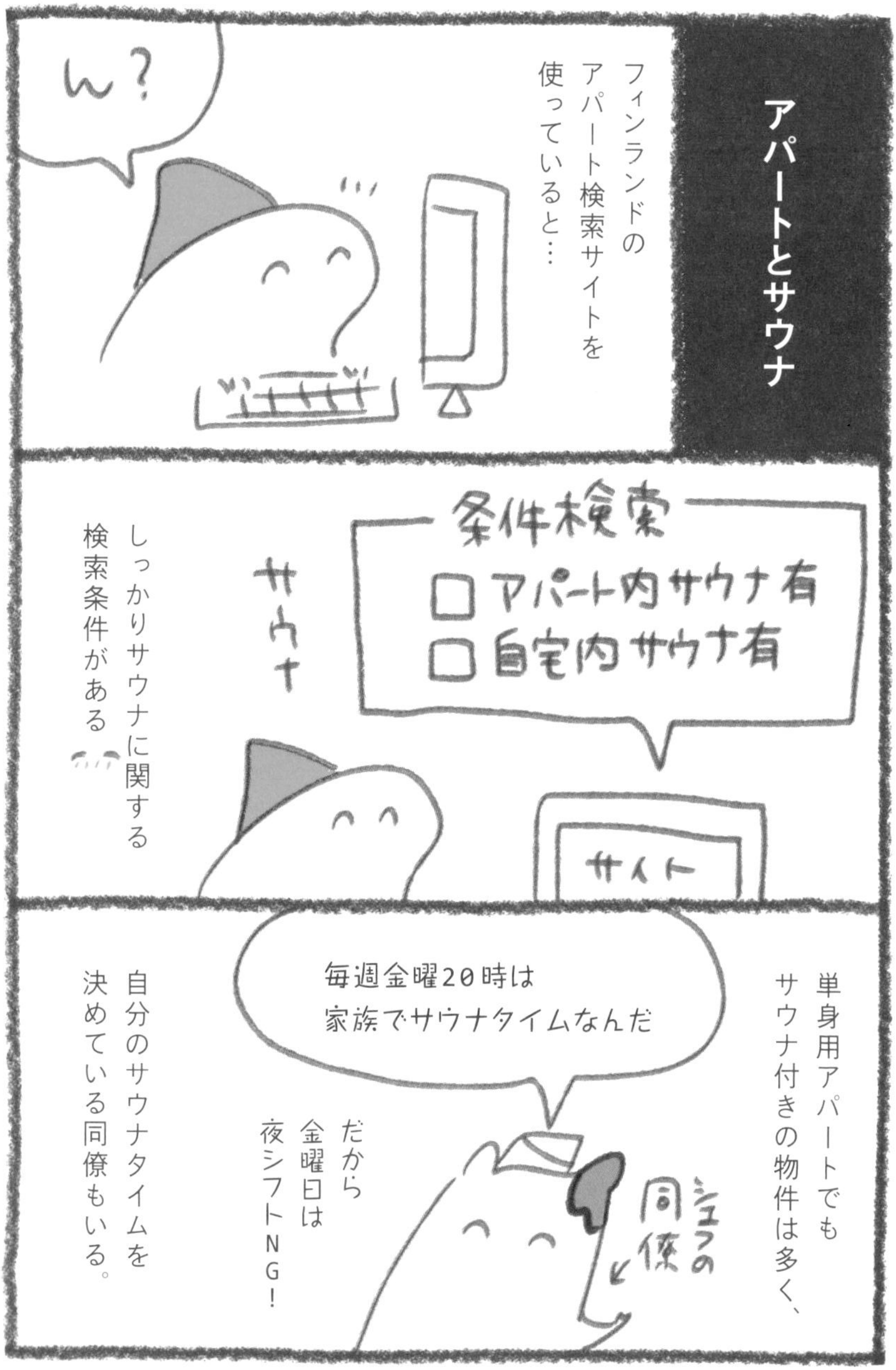

アパートとサウナ
フィンランドのアパート検索サイトを使っていると…
ん？
条件検索
□アパート内サウナ有
□自宅内サウナ有
サウナ
サイト
しっかりサウナに関する検索条件がある
単身用アパートでもサウナ付きの物件は多く、
毎週金曜20時は家族でサウナタイムなんだ
シェフの同僚
だから金曜日は夜シフトNG!
自分のサウナタイムを決めている同僚もいる。

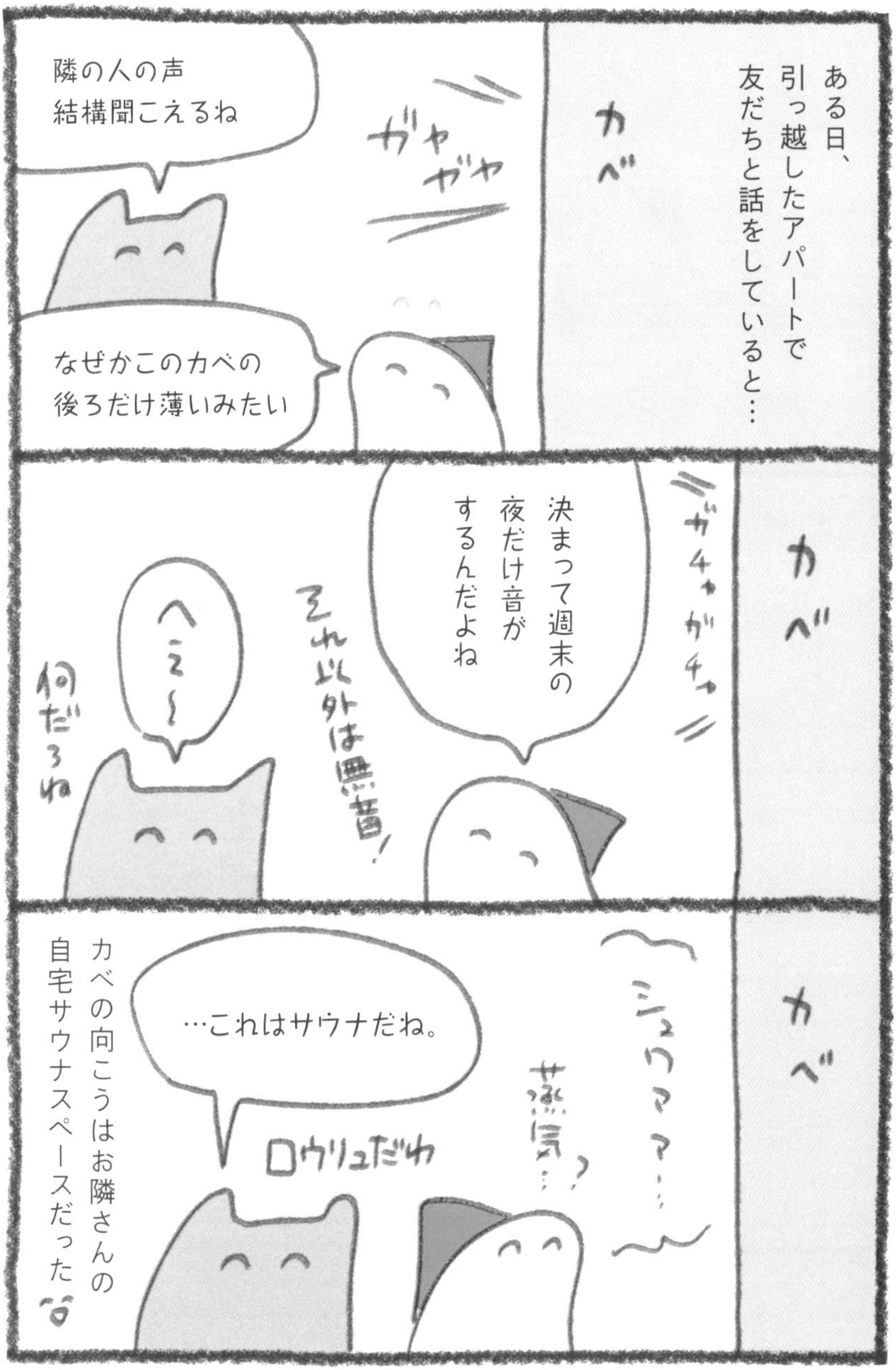
ある日、
引っ越したアパートで
友だちと話をしていると…
カベ
ガヤガヤ
隣の人の声
結構聞こえるね
なぜかこのカベの
後ろだけ薄いみたい
カベ
ガチャガチャ
決まって週末の
夜だけ音が
するんだよね
それ以外は無音!
へ~~
何だろね
カベ
シュワァァ…
蒸気?
…これはサウナだね。
ロウリュだわ
カベの向こうはお隣さんの
自宅サウナスペースだった

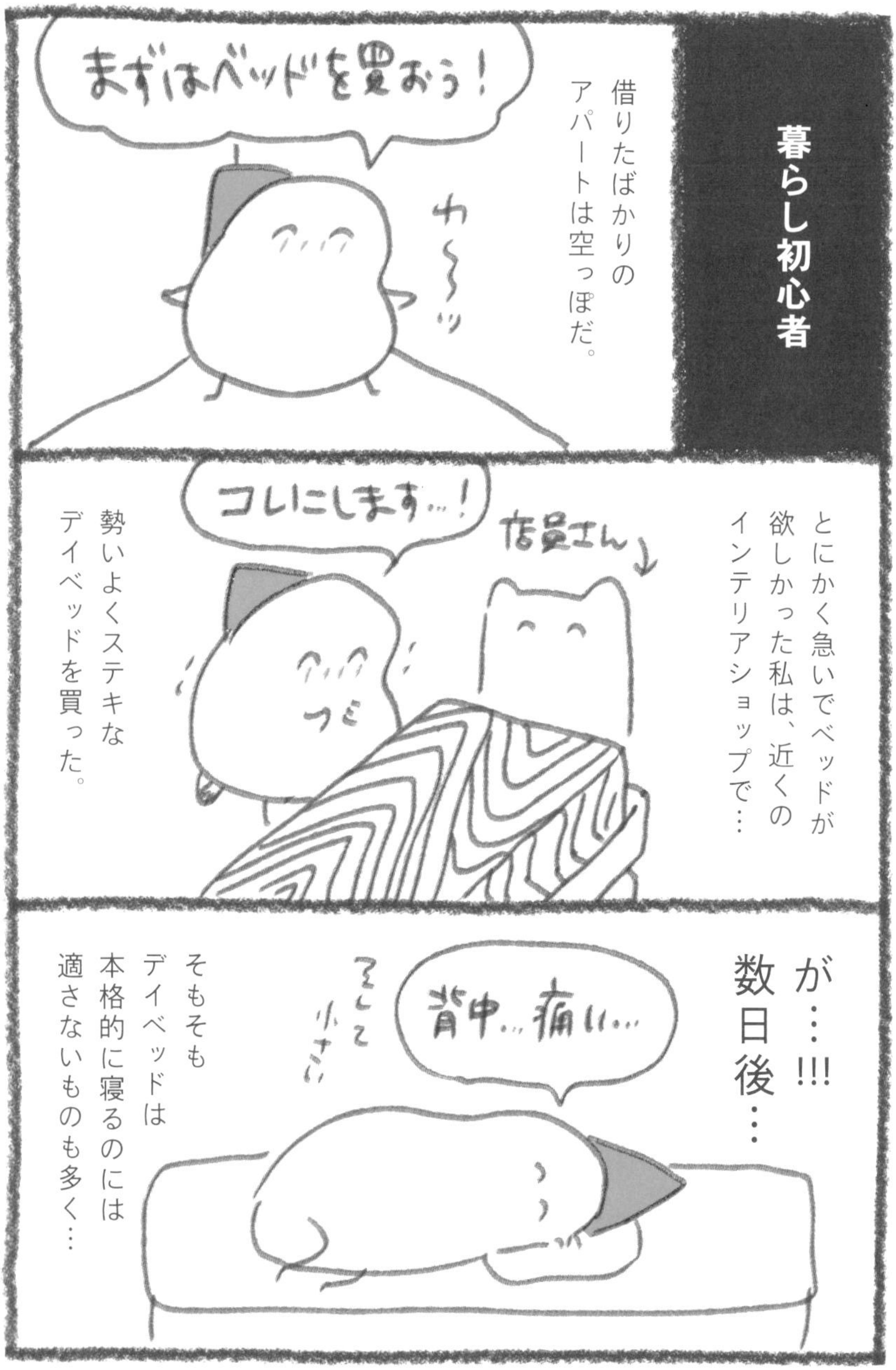
暮らし初心者
借りたばかりのアパートは空っぽだ。
まずはベッドを買おう！
カ〜〜ッ
とにかく急いでベッドが欲しかった私は、近くのインテリアショップで…
店員さん
コレにします…！
勢いよくステキなデイベッドを買った。
が…!!!
数日後…
背中…痛い…
そして小さい
そもそもデイベッドは本格的に寝るのには適さないものも多く…

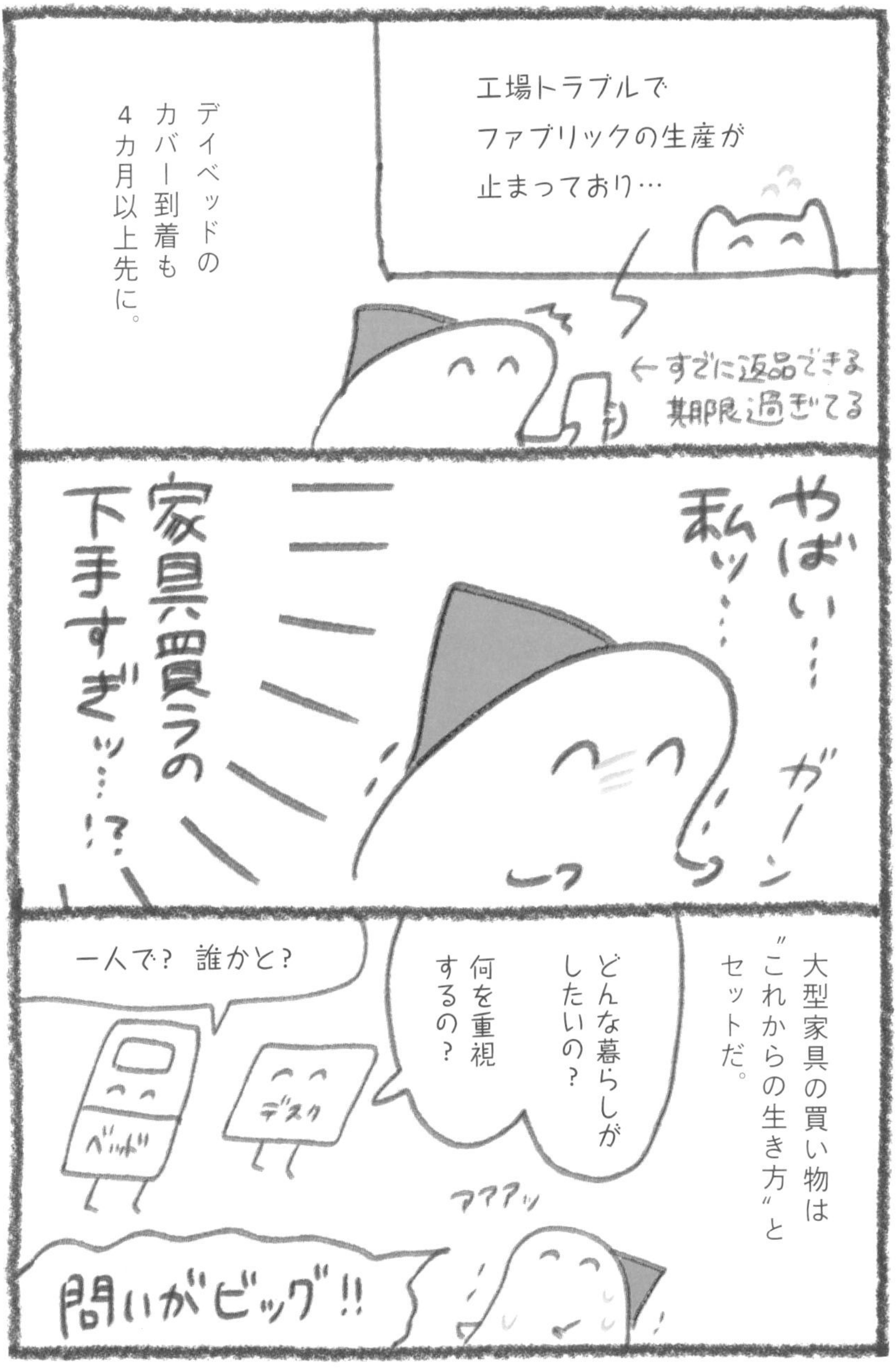
工場トラブルで
ファブリックの生産が
止まっており…
デイベッドのカバー到着も4カ月以上先に。
←すでに返品できる期限過ぎてる
やばい…
私ッ…
ガーン
家具買うの下手すぎッ…!?
大型家具の買い物は〝これからの生き方〟とセットだ。
どんな暮らしがしたいの? 何を重視するの?
一人で? 誰かと?
ベッド
デスク
アアアッ
問いがビッグ!!

ずっと〝いつか引っ越す〟と思いながら暮らしてたから…

〝一生付き合っていく家具〟の選び方を知らなかったな…

初心者ッ
ようやくここからが私の〝暮らし作り〟のスタートなんだと思った。

ちなみにその後、大きめのふかふかベッドを買い直し…今も部屋にはベッドが2つある。

はわっ!?

はわわっ
ズッ!?

だけど
デイベッドは
ソファとして
使い始め…
良…
ステキなカバーも
届いて、日が経つほど
かけがえのない
相棒になっている。
この歳になって
暮らし作りを始めて、
ようやく経験する
選択がたくさんできた…
小さなことでも
悩むけれど、
〝私には、今が初めての
タイミングだったんだ〟
と思いながら
失敗しつつも、
少しずつ
自分の
生きる力を
鍛えたい。
zzz…

お気に入りの雑貨と家具

暮らしを作る、お気に入りの雑貨と家具たち。空っぽのアパートに「自分らしいモノ」を迎えるたびに、少しずつ〝自分の家だ〟と思えるようになった。

marimekko《マリメッコ》のベッドカバー

1Kの間取りでは、いつどこにいてもベッドが目に入る。そんな時に、ベッドカバーがかわいいと嬉しい。だからベッドカバーはいつもマリメッコだ。

水色のトレイ

ふと立ち寄ったセカンドハンドショップで一目惚れした、名もなきトレイ。異素材の組み合わせもかわいくて、毎朝コーヒーと朝食をのせて楽しんでいる。

Arabia《アラビア》のムーミンマグ

移住したその年の記念に、と季節限定のマグを迎えた。きっと時が経っても、このマグを使うたびに「フィンランド1年生」の年を思い出すだろう。

marimekko《マリメッコ》のお皿

フィンランド旅行で訪れたお寿司屋さんで使われていて一目惚れしていたお皿を、偶然にもマリメッコアウトレットで発見してお迎えできた。一期一会の嬉しい出会いだった。

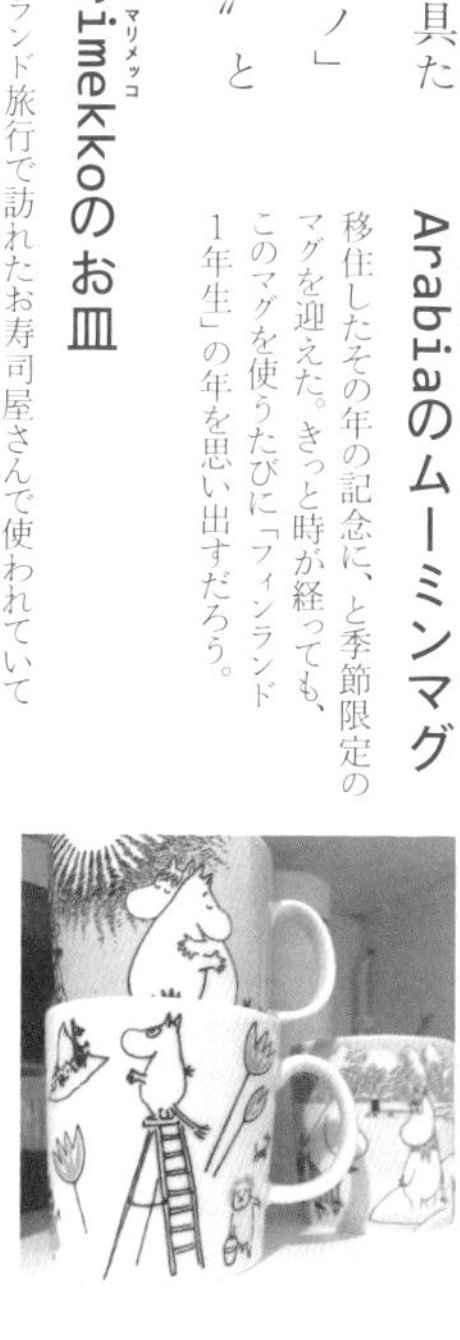

ムーミンのキッチンタイマー

アバウトな時間しか計れないところも愛おしい、ムーミンママのキッチンタイマー。仕事の休憩時間を計る時にも使っている。こんな見た目だけど、目が覚めるような音がする。

北欧デザインの植木鉢

窓辺に緑を飾りたい。
そう思って何週間も
悩んで迎えた
お気に入りの植木鉢。ピンクの子はフィンランドのイッタラ、ストライプの子はデンマークのOYOYのものだ。

iittala《イッタラ》のキャセロール

映画『かもめ食堂』にも登場する、あこがれのキャセロールを自分への誕生日プレゼントにした。いつか映画みたいに、フィンランドの新じゃがで〝肉じゃが〟を作って、日本からの旅人をもてなしたい。

iittala《イッタラ》のキャンドルホルダー

建築家アルヴァ・アアルトがデザインした、フィンランドの湖畔を思わせる曲線が美しいキャンドルホルダー。暗く長い冬をほんのり照らしてくれるキャンドルの明かりは、毎晩の癒しになった。

Artek《アルテック》のデイベッド

今となっては「失敗した」と思ってごめんね、とヨショシしたくなる愛しのデイベッド。普段はたっぷりのクッションを加えたソファとして、来客があるとマットレスを加えてベッドとして活躍している。

コーヒーグッズ

アパートに引っ越して最初に揃えたのが、朝飲むためのコーヒーセットだった。コーヒーミルはノルウェーのWilfa、ドリッパーは日本で使っていたのと同じＨＡＲＩＯ。コーヒー豆は、セカンドハンドショップで見つけたマリメッコの缶に入れている。

Artek《アルテック》のヴィンテージチェアたち

アルヴァ・アアルトが学生のためにデザインしたドムスチェアは、長時間座っても疲れにくい。デイベッドとお揃いのゼブラ柄のファブリックに張り替えられたチェアは、１９４０年代のものだ。

Artek《アルテック》の青いテーブル

フィンランド最南端の街「ハンコ」のダンスホールで使われていた１９５０年代のテーブルを、ワークデスクとして愛用している。くすんだ色も、傷ついた脚も「この子ならでは」のデザインだ。

タイムレス
暮らしを作る一つひとつのアイテムを大切に選ぶようになり
この子に決めた！
花瓶を買うのも何日も吟味！
ずっと憧れていたフィンランドのヴィンテージテーブルをセカンドハンドショップで買うことにした。
このカラーを探してたッ！
ブルーリノリウム…
（この色の名前）
それは1950年代に海辺のダンスホールで使われていたらしく…
このテーブルだけチェア掛け用のパーツが付いていたんですよ
レストランホールの掃除をしやすくするためでしょうね
店員さん
ほんとだ…

ご希望であれば取り外しもできますよ
いえ…ぜひこのままで！
こうしてお迎えした
やっと自分にとってしっくりくる北欧家具を選ぶことができた日…
私にとってモノを選ぶ時に大切な基準は…
〝タイムレス〟なのかもしれない…！
と思った。
北欧デザインはシンプルで…だからこそ時代を超えて愛され続ける。
マリメッコのデザイン哲学も
「トレンドに流されない」
タイムレスな製品を作ること…
サステイナビリティー
ピス

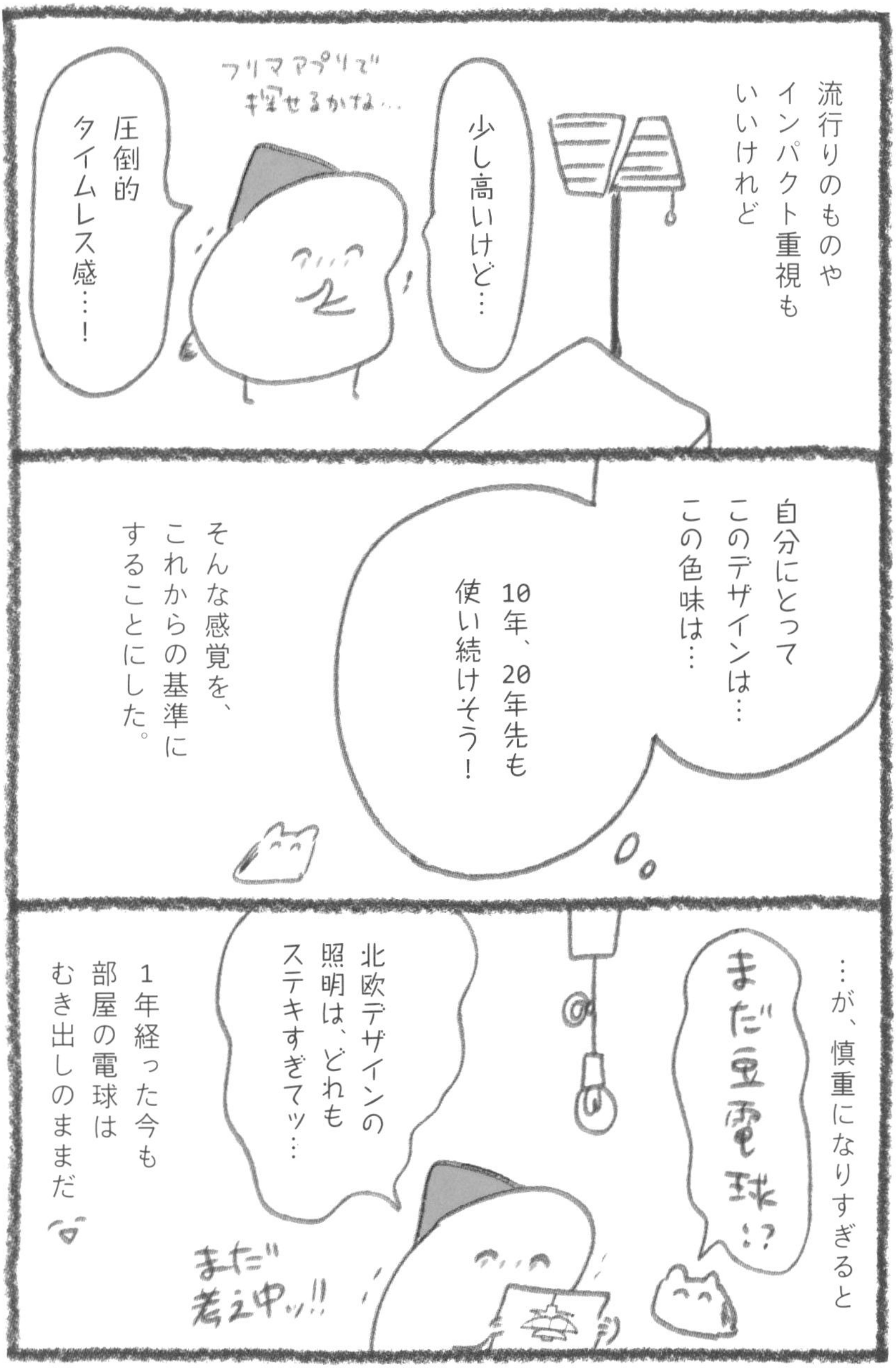
流行りのものやインパクト重視もいいけれど
少し高いけど…
フリマアプリで探せるかな…
圧倒的タイムレス感…!
自分にとってこのデザインは…この色味は…
10年、20年先も使い続けそう!
そんな感覚を、これからの基準にすることにした。
…が、慎重になりすぎると
まだ豆電球!?
北欧デザインの照明は、どれもステキすぎてッ…
まだ考え中ッ!!
1年経った今も部屋の電球はむき出しのままだ

お気に入りの雑貨・家具店3選

My o My
マイ オー マイ

自分にプレゼントを、そんなキャッチコピーに惹かれて店内に入ると、少しクセのある雑貨がずらり。ここは北欧デザインのセレクト雑貨ショップ。冬には個性的なクリスマスツリーのオーナメントも登場する。自分にも、誰かにも、素敵なプレゼントを探したくなるお店だ。

Eiring
エイリング

ヘルシンキのシェフ御用達の店のひとつ。所狭しと並んだキッチンツールは、見ているだけでも楽しい。クッキー型やパスタメーカー…行くたびに「欲しい」が止まらなくなってしまう。いつでもリラックスしたムードの店員さんも素敵なお店だ。

Artek 2nd Cycle
アルテック セカンド サイクル

Artekが運営する家具のセカンドハンドショップ。使われなくなったArtekの家具たちをフィンランド中から集めて修繕し、また新たな持ち主へと届けている。ヴィンテージの家具がズラリと並ぶ店内は、まるでミュージアムのようだ。

仕事と人生の
〝ちょうどいい距離感〟を
私もここで見つけられると
いいなと思った。

フィンランドのキャリア観

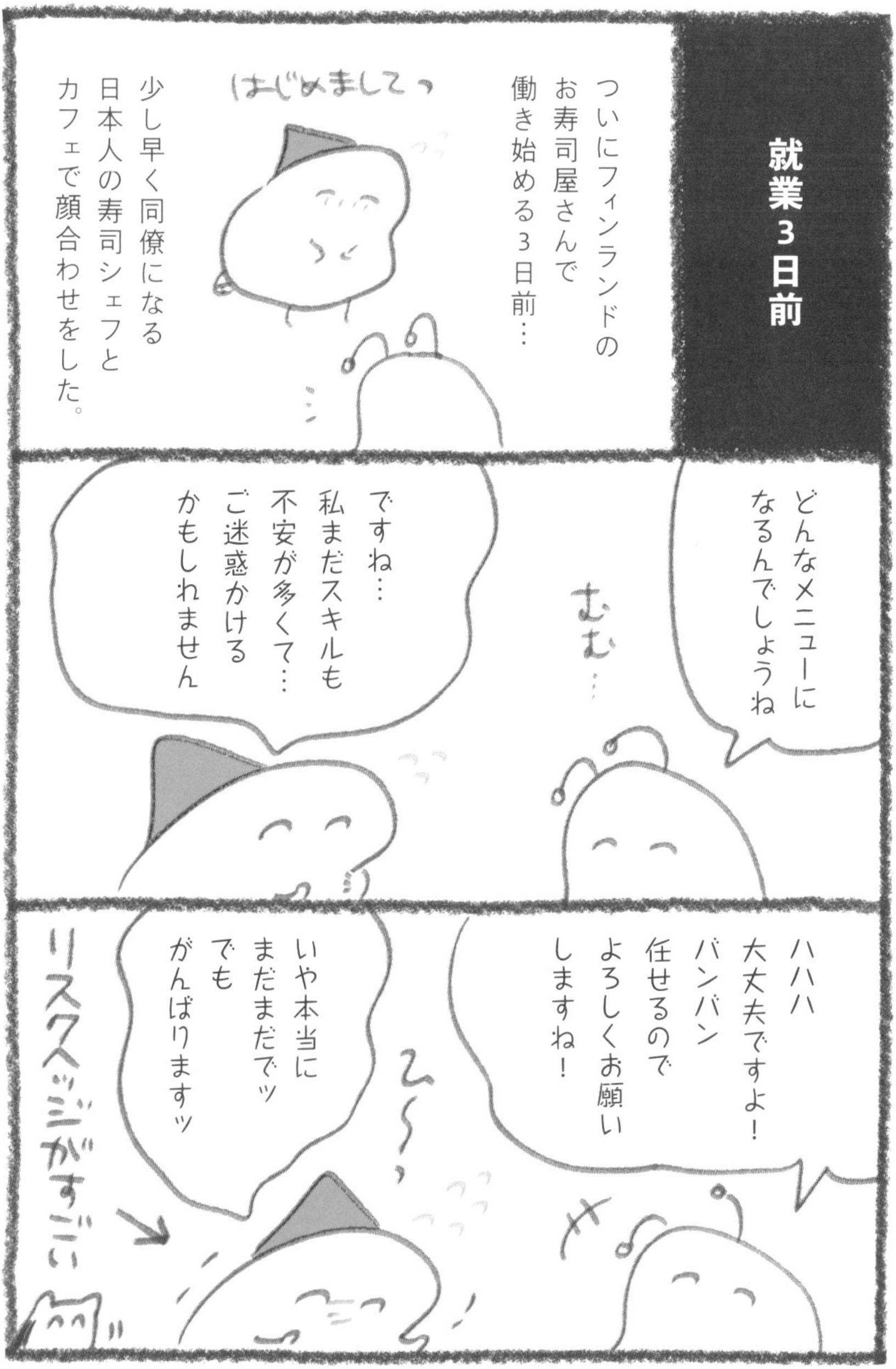
就業3日前
ついにフィンランドのお寿司屋さんで働き始める3日前…
はじめましてっ
少し早く同僚になる日本人の寿司シェフとカフェで顔合わせをした。
どんなメニューになるんでしょうね
むむ…
ですね…私まだスキルも不安が多くて…ご迷惑かけるかもしれません
ハハハ大丈夫ですよ！バンバン任せるのでよろしくお願いしますね！
ひ〜…
いや本当にまだまだでッでもがんばりますッ
リスクヘッジがすごい

フィンランドで熟成寿司をやってみたいんですよね！
日本米も良いものを使ってみたいし、合わせ酢も米に合わせたい！
ハチッ
ハキキッ
どれくらい日本の味が好まれるのか、挑戦ですね！
ハキッ
まッ…
まぶし〜〜ッ!!!
同僚はこんなにも野望があるのに…
ハキッ
ハキッ
かたや私はスキル不足のリスクヘッジばかり…情けないッ…!!

フィンランドの人ってどんな寿司食べるんですかね
未知ッス
あ、私昨日いくつかお寿司屋さん巡ってきたんですけど…
写真ありますッ
あと今まで旅行で来た時にはこんなお寿司もあって…
ススー
わ、そうなんだ! フィンランドの寿司、イメージつかなくて…
やっぱりハーブを使ったり、炙り寿司スタイルも人気みたいですよ
ハーブ…!
あれ…もしかして…13年通い続けたこの経験もお寿司に活かせる…?

帰り道…
私はまだスキルは完璧じゃないかもしれないけれど…
〝フィンランドらしさ〟を知っている…これって当たり前じゃないのかもしれない
フィンランドが好きなこと…イラストが好きなこと…フットワークが軽くて情報収集が早いこと…
転職して環境が変わったって…
今までのスキルをゼロだって思う必要はないんじゃない…!?
NOTE
今の自分にも…小さくても、〝私だからできること〟があるのかもしれない!!
キュッ
こうして私は帰宅後すぐに、フィンランドのお寿司マップを作り始めた。

ヘルシンキのすべてのお寿司屋さんの数は82店舗。
このうち人気店のメニューと、使われている技術をリストにして
まだヘルシンキでは使われていない技術を割り出してみよう
スウェーデンでミシュラン獲得のお寿司屋さん、金目鯛使ってる!
カタタッ
てことはフィンランドでも使える可能性があるのかな…?
北欧諸国のお寿司まで…!?
就業開始まであと少し。
ずっと不安だったけど…初出勤が少し楽しみになってきた!
完成っ
できないことを嘆き続けるんじゃなくて…少しでもできることに光を当てて、最善を尽くそうと思った。

［キャリアのはなし①］知れば知るほど、好きになる

できないことではなく、できることに目を向けよう。そう考え直して、没頭するように作ったお寿司マップ。

〝仕事のコツは「相手を好きになること」。そして好きになるためには「相手をとことん知ること」〟

移住直前まで働いていた人材会社で、ある先輩から貰った言葉だ。

このマップが、仕事の役に立つかどうかはわからない。だけど、この街を、この分野を、この仕事を…。

少しでも知ろうとしたことで、不安100%だった初出勤が少しずつ「楽しみ」に変わっていった。きっとそれは、先輩の言葉通り「知れば知るほど好きになる」の入り口に立てたからだと思う。

悲願のレストラン
緊張の初出勤日…
僕たちが今からオープンするのは北欧文化を活かした高級日本食レストランで…
最も高いコースの価格は一人200ユーロ以上だ
フィンランド人のオーナーさん
そう…私たちのレストランはまさにこれからオープンを迎える新しいお店。
はわわわわ
そっ…そんなに高級なコースを提供するお店だったの…!?
高めとは聞いてたけど…
情報解禁日の取り扱いも厳しく、内容はこの日まで採用されたシェフにすら明かされておらず…
日本食の店だったんだ…！
同僚シェフ
ね
知らなかったんだ!?
さすがに寿司シェフは日本食とは知っていた
大多数が、この日初めて自分たちが作るものを知った

ようやくコロナが落ち着いたと思えば、先月から戦争が始まった。
まだ街に活気はないし、今オープンすることを止める人もいたけど…
このレストランは今、フィンランドに必要だと思う
今までいろんな国で料理を学んだけど…日本の料理には、魂が震えたんだ。
店の構想には何年もかけて…
この店は、まさに僕の夢だ
オーナーの長年の夢がつまった悲願のレストラン。
マグロは絶対大切にしたくて…
巨大マグロ
みんなでスペインのマグロの養殖場にも視察に行ったんだよ
すごい…!!!
こうして私たちのレストランの物語が幕を開けた。

パートオブライフ
ボスでありヘッドシェフのサーモンさんと初ランチへ。
どう？ 仕事は慣れた？
はいっ
少しずつ…！
日本の飲食店は長時間働くらしいね
フィンランドは基本8時間
私が働いていたお寿司屋さんでは基本12時間でした
12時間!?!
それじゃあ人生のほとんどが仕事じゃないか
CRAZY…
たしかに…帰宅したらお風呂入ってすぐ寝ちゃいますね

僕はね…仲間たちにヘルシーに楽しく働いてほしいんだ
結果的に、それはお店のためにもなるしね
楽しく前向きなレストランのチームを見て、お客さんもハッピーになって…だからお店もうまくいく。
ミシュランを目指すために疲弊するような働き方は、本末転倒だ。
それに…仕事はあくまで“パートオブライフ”なんだ。
パートオブライフ…

そう…仕事は〝人生の一部〟だ
仕事のために生きてるんじゃない。
僕にとって一番大事なのは、一度しかない自分の生活そのものだよ
チカはフィンランドで仕事以外にしたいことは何なの？
僕はシュミでバンドしてるよ
私はいろんな絵を描いてみたいのと…お菓子も学びたいです！
いいね!! 絶対やろう!
そうそう、実は僕はシングルファーザーなんだ。今から娘を迎えに行ってくるね
仕事と人生の〝ちょうどいい距離感〟を私もここで見つけられるといいなと思った。

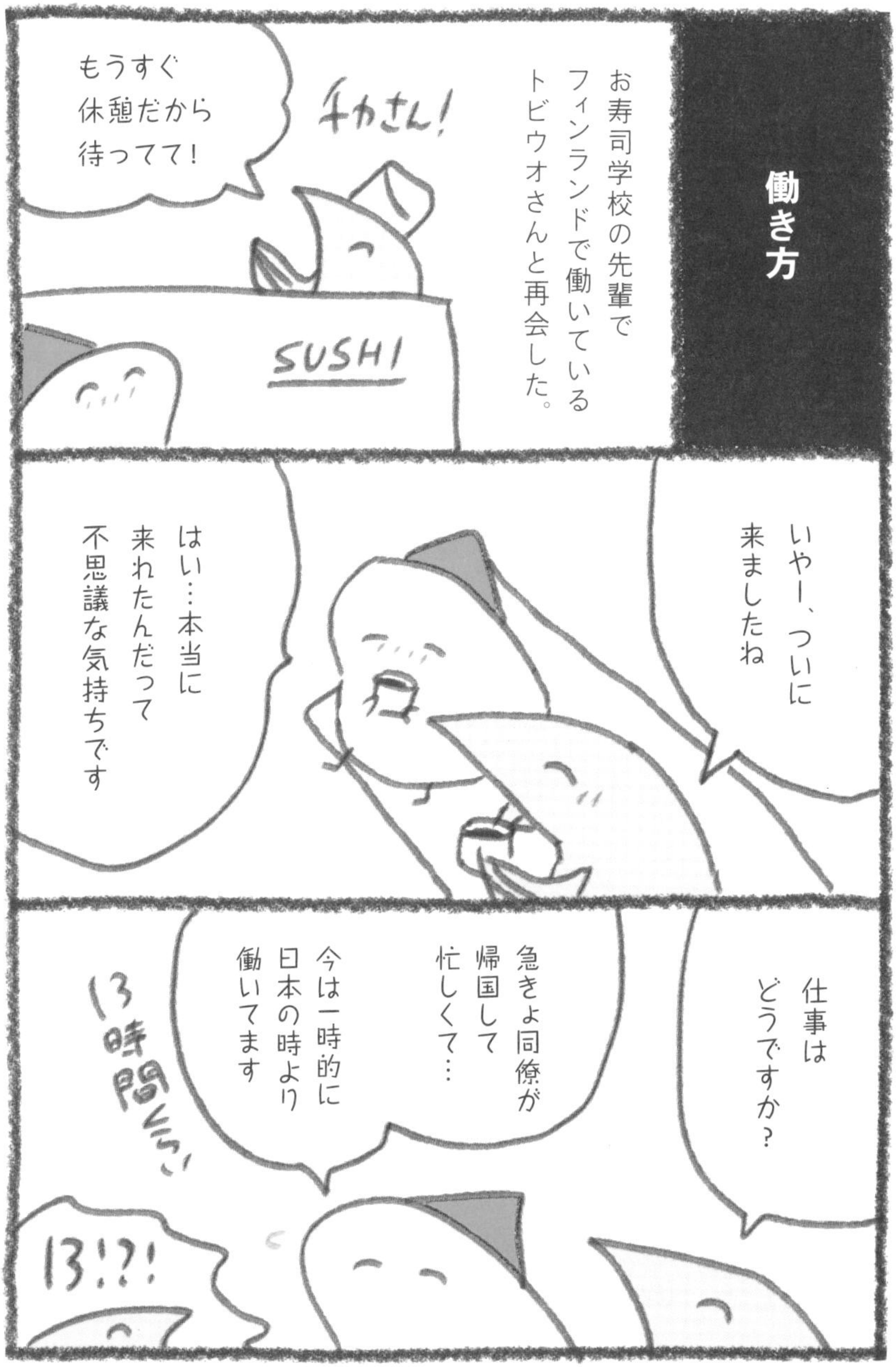
働き方
お寿司学校の先輩でフィンランドで働いているトビウオさんと再会した。
千カさん！
もうすぐ休憩だから待ってて！
SUSHI
いやー、ついに来ましたね
はい…本当に来れたんだって不思議な気持ちです
仕事はどうですか？
急きょ同僚が帰国して忙しくて…
今は一時的に日本の時より働いてます
13時間ぐらい
13!?!

できないことはできないって言った方がいいよ
その状況が当たり前になっちゃうよ！
僕は最近、週4勤務で週3休みにしたんですよ
1年目はチカさんと同じくとにかく働くことに一生懸命だったけど、
3年間この国で働いてフィンランドの人たちの生き方を見るうちに考えが変わって…
あくせく働いて給料を得るよりも、
休む時間を大切にしたいと思ったんです
そっ…そんな働き方が…!!
チカさんも、望めばできますよ！
無理しないでね

人望
レストランではそれぞれの部門にリーダーがいて、定期的にリーダー会議がある。
総責任者
サーモンボス
会議やるよ！
フィンランドのシェフコンテストの常連
みんなビールよね？
前菜部門
クジャクさん
クールな女性シェフ
僕はノンアルで。このあと車で帰るんだー
ホット部門
キンクマさん
やさしいロシア人シェフ
スイーツ部門
チョコネコさん
何でもできるオールラウンダーシェフ
みんな働いて数日だけど仲良しだね
お寿司部門
私

あ、私たちみんな
一緒に働いたこと
あるのよ
え!?
サーモンさんが
新しいレストランの
総責任者になるって聞いて、
みんなついてきたの
サモーン
人望…!!!
実力のある
シェフの転職は
ほとんど引き抜き。
私も今まで全部
スカウトだったな

ヘルシンキは小さな街
だから良いうわさも
悪いうわさもすぐ広まる
信頼できるシェフは
常に人気さ。
特にオープニングはね
このレストランの
採用で一番重視
したのも人柄だよ
ここにいるリーダーは
みんなもちろん
腕もいいけどね
どんなにスキルが
あっても、大切なのは
チームワークだからね
良い人のところには
良い人が集まる。
会議はじめるぞ〜
そっか…みんな
一緒に働きたい
人がいたから
何料理の店か
わからなくても
決断できたんだね
ふふ

オープンに話そう

今日は初めてのリーダー会議だ。気楽に、乾杯から始めよう！
kippis!
会議でビール!?
さて…僕がこのチームで一番大切にしたいのは、〃素直であること〃だ
特にリーダー同士、助け合うために遠慮はいらないよ
例えば仕事以外のプライベートで気に病むことがあって、それが仕事に影響するなら…
詳細まで言わなくとも、〃そういう精神状態である〃ということはオープンにしていこう

家族のこととか…ずっと順調であることは不可能だしね
僕も助けが必要な時は、ここのみんなに伝えるよ
伝えてくれないと、どう助ければいいかわからないけど…
伝えてさえくれれば、お互いに助け合える。だから、素直でいよう！
…じゃあ早速いいかな。僕は多動症気味で、時々ストレートすぎる物言いになることがある
だけど個人への攻撃だと受け取らないでほしいんだ

あ…私も…まだ英語がつたないのと…
集中すると視野が狭くなる時があります…
気をつけますがッ
大丈夫！みんなでフォローし合おう
キーレスッ
最初からこうして自分の苦手や弱みをシェアする場があったことで、心が楽になった。
よし！じゃあ夜も更けたし…
ワインでもどうかな!?
わ〜
もしかしたら、この日お酒を用意したのもボスの心遣い…？

シェフである前に
フィンランドの
レストランで働き始めて
最初にびっくりしたのは…
みんな…
タトゥーいっぱい!!!
8割のシェフが
タトゥーを入れていて
海賊みたい
Hyvä
それぞれ自分の好きな
モチーフや信念を
たくさん詰め込んでいた。
フィンランドでは
タトゥーをファッション
として楽しむ人も多く、
モイ
シェフだけでなく
学校の先生や役所の人も
楽しんでいた。

さらに自由なのはタトゥーだけではなく…
女性リーダーシェフ
火よう日
水よう日
木よう日
かっ…かっこいい…！
シェフのメイクも最高なのだ!!!
いつもメイクが自分らしさ100%って感じでステキです…！
わ〜ありがと♥
今まで寿司シェフはメイクを目立たないようにしなきゃって思ってたけど…
もっと自由でもいいのかなって…

それはまさに私が
信念にしてること！
ここで働く前にも伝えたの
プロとして
料理も仕事もするけれど
私のスタイルはこう
シェフだからって
自分を押し殺すのは
違うと思う
私はシェフである前に
私だし、
スタイルを変える
つもりはないんです
…ってね
帰り道…
シェフである前に、私…
その言葉がリフレインし、
型にとらわれすぎず、
自分らしいスタイルを
考えてみたいと思った。

自由なキッチン

日本の厳格な（?）お寿司屋さんで修業をしていた私にとって、フィンランドで働き始めたレストランの自由でのびのびとしたキッチンは、驚きに満ち溢れていた。

もちろんボスは厳しく、忙しい時に罵声が飛ぶのは日本もフィンランドも変わらなかったけれど（笑）それでも、日々の小さな「楽しみ」ひとつひとつが私にとっては大きな喜びになった。

キッチン裏のキャンディ

週末になると、オーナーさんが
いつのまにか持ってくる
キャンディ（グミ）の詰め合わせ。
カラフルなキャンディには、
みんなそれぞれ
お気に入りがあるらしく、
親切なホールスタッフさんが
「チカ、この赤いのは最高だから
早めに食べたほうがいいよ」と
教えてくれた。

スタッフ用のアイスクリーム

スタッフ用に常備されていた
アイスクリームとリポビタンDは
福利厚生のひとつ。人気なのは、
ペンギンのイラストが可愛い
チョコビスケットでサンドされた
バニラアイス。その後、経費削減で
アイスサービスがなくなった日は
とても悲しかった。

ボスの差し入れビール

祝日出勤のある日、ボスから「差し入れだよ」と
手渡されたのは、白樺入りのビールだった。
サービス中はもちろんお酒に酔うことはできないけれど、仕込み中に
特別な差し入れをもらうこともあり、ドーナツの日もあった。

シェフ専用の音楽プレイリスト

サービスが始まるとオシャレでモダンな音楽が
流れるレストラン。しかし、仕込み中は
様子が異なる。シェフたちが好きな音楽を
加えたプレイリストから、大音量で
ノリノリの音楽を流すのが定番！
アメリカやイギリスの
ヒットソングから
フィンランドポップにメタルまで、
カオスな音楽が面白かった。

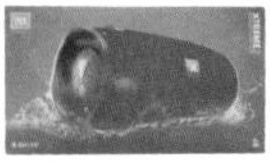

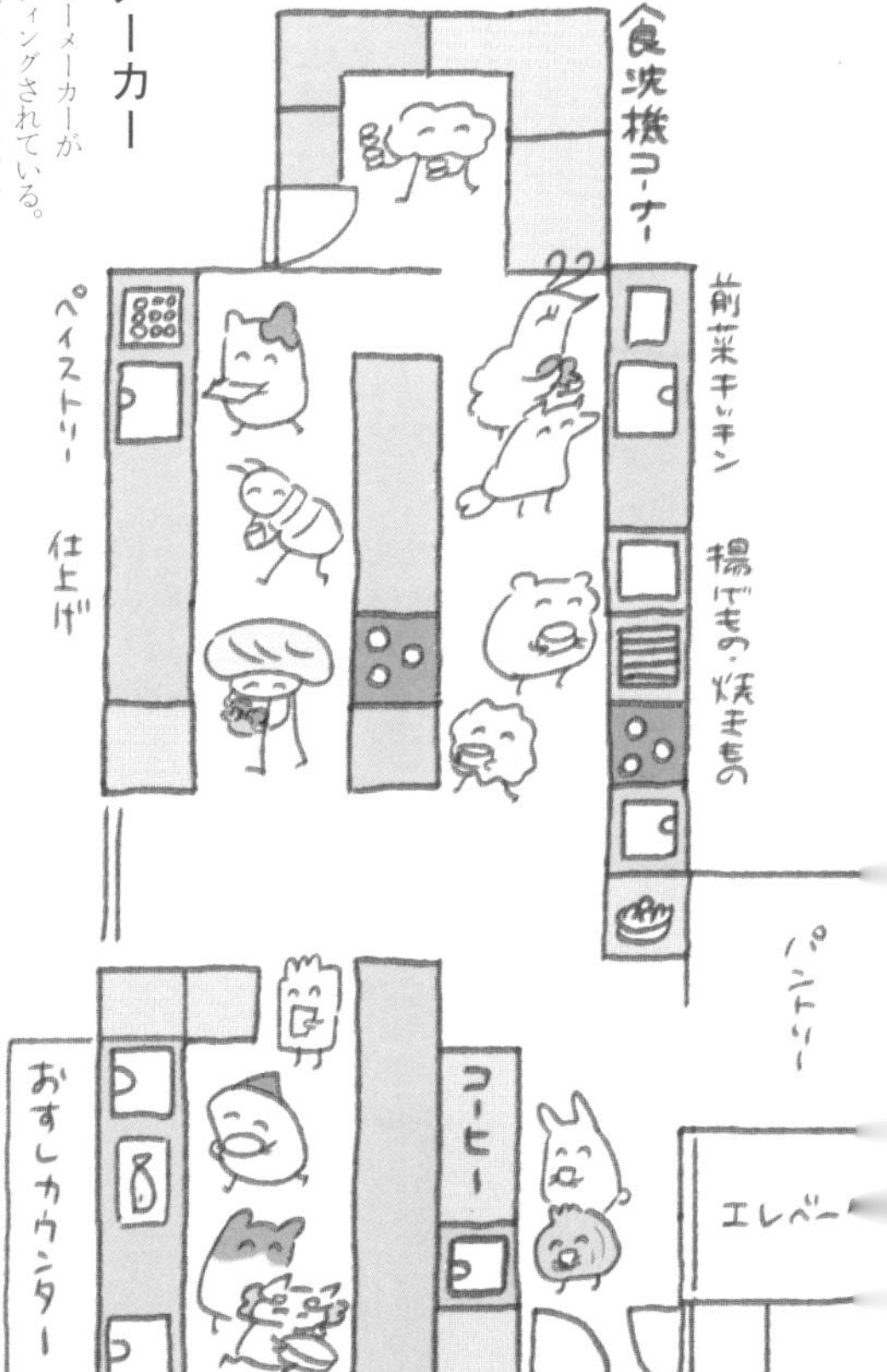

コーヒーメーカー

スタッフ用のコーヒーメーカーがキッチン裏にセッティングされている。朝一番に来た人がみんなのために淹れるのが恒例になり、お魚の仕込みで一番乗りすることが多かった私のささやかな〝キッチン貢献〟のひとつになった。

ペイストリーのお裾分け

デザート部門のシェフが置いてくれる、キッチンへのお裾分けが大好きだ。ブラウニーの切れ端、週末のブリュレ、型抜きした後のマドレーヌが定番だ。スイーツ好きな私と同僚は「これはレストランで働くモチベーションの要因のひとつですね」と微笑みあった。

みんなで食べるスタッフフード

「まかないは絶対みんなで揃って食べる」は、ボスの一番のこだわりだった。どんなに忙しくても、テーブルについてみんなで食卓を囲む。シェフが食事をないがしろにしてはいけない。そして何よりも〝共に働き、共に掃除し、共に食べることで、ファミリーになっていく〟というボスの哲学があった。

まだまだ、今の私のまま
できることがある。

レベルアップ

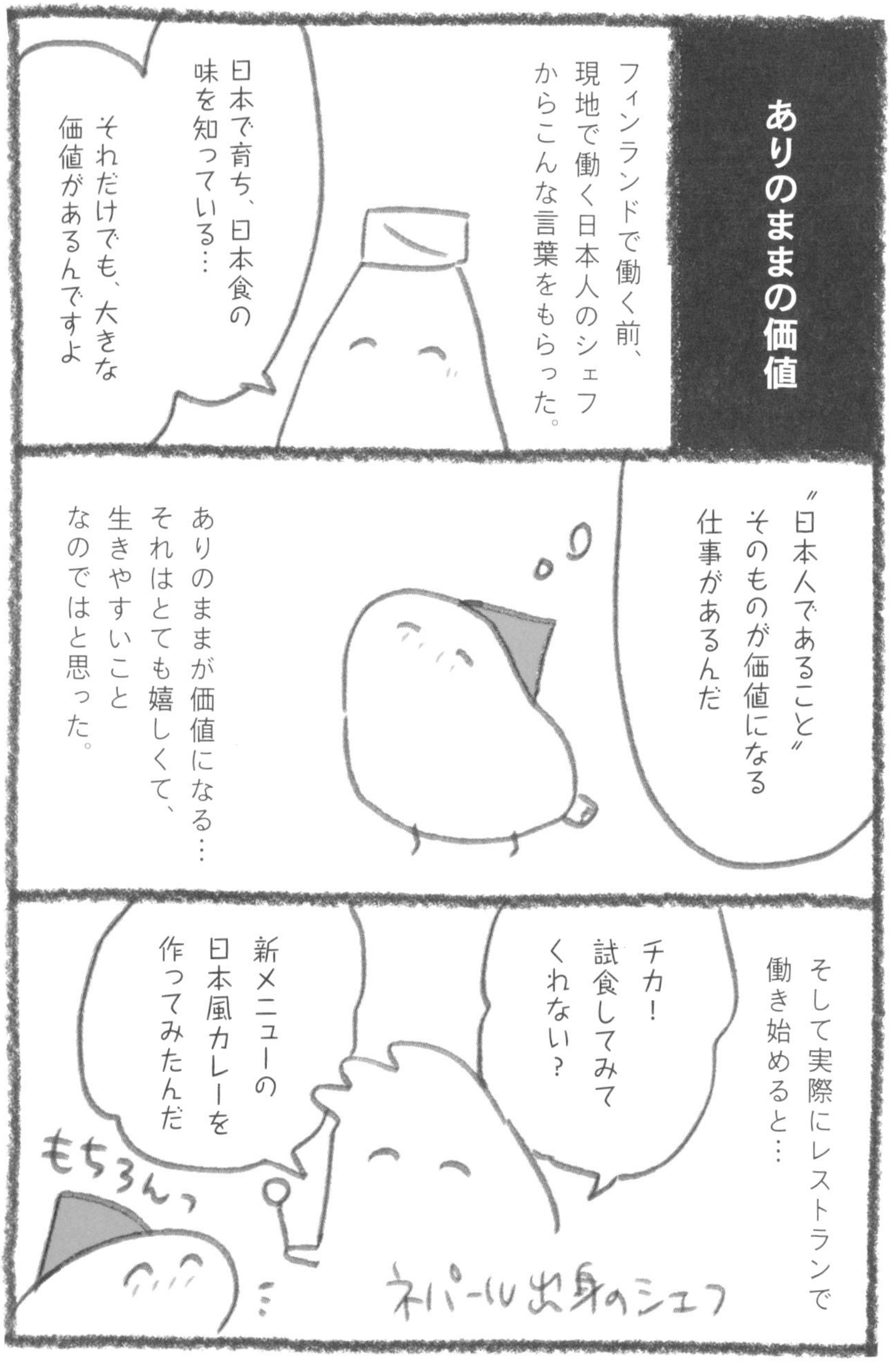
ありのままの価値
フィンランドで働く前、現地で働く日本人のシェフからこんな言葉をもらった。
日本で育ち、日本食の味を知っている…それだけでも、大きな価値があるんですよ
〝日本人であること〟そのものが価値になる仕事があるんだ
ありのままが価値になる…それはとても嬉しくて、生きやすいことなのではと思った。
そして実際にレストランで働き始めると…
チカ！試食してみてくれない？
新メニューの日本風カレーを作ってみたんだ
ネパール出身のシェフ
もちろんっ

このカレー…なんだかネパール風だッ!!!
おいしい!!
だけどもう少しとろみがあるといいと思う!
OK!
日本の味チェックの依頼がよくある
他にもボスから…
チカ! メニュー表を作ったんだけど、日本語のチェックお願いできるかな?
もちろん!
CHAWANAMUSHIになっていますが、正しくは…
あとFURIKAKKEはKをとって…
Nice!
日本食レストランでは日本語も役に立つ

さらに別の日はバーテンダーさんが…
チカ！時間いいかな？
お客様に説明したくてボトルの読み方と意味を知りたいんだっ
これはヤマトザクラ！ヤマトの意味とサクラの意味は…
そしてこれは…未知る遭遇!?えっと、意味は…
フムフムッ
メモメモッ
困ってたから嬉しい！次のボトルも持ってくるねっ！
オッケー！
ただ日本語を読むだけで、こんなに喜んでもらえて嬉しいな…

自分にとって
当たり前のことが…
場所が変われば
特別なスキルに
なることがあるんだ
ありがたいなァ…
チカ〜〜!!
持ってきたよ!
これは何…?
きゅるん
おんつぁ
何!?
ケータイで調べる
↓
福島県の方言で
"おじさん"という
意味らしい…
あっ
かぎっ
時には日本のことでも
知らないことがある

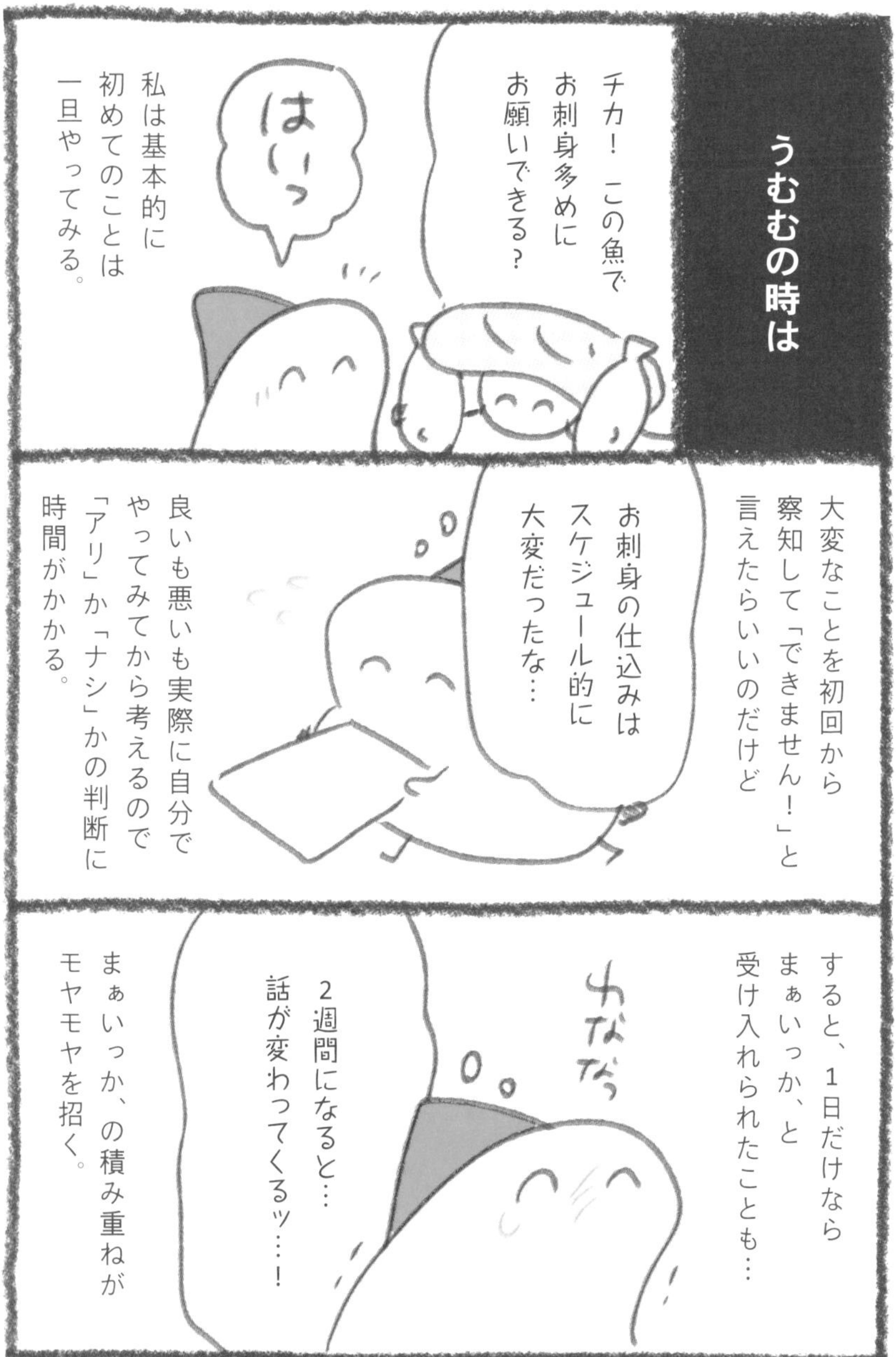
うむの時は
チカ！ この魚でお刺身多めにお願いできる？
はいっ
私は基本的に初めてのことは一旦やってみる。
大変なことを初回から察知して「できません！」と言えたらいいのだけど
お刺身の仕込みはスケジュール的に大変だったな…
良いも悪いも実際に自分でやってみてから考えるので「アリ」か「ナシ」かの判断に時間がかかる。
すると、1日だけならまぁいっか、と受け入れられたことも…
わななっ
2週間になると…話が変わってくるッ…！
まぁいっか、の積み重ねがモヤモヤを招く。

そんなモヤモヤは
夜に考えすぎると
寝付けなくなるので
できるだけ夜は
思考活動をやめて
楽しい動画を見よう
朝、寝起きのベッドで
いろんなモヤモヤを
思い出しては考え込む。
うむむむむ…
状況は分かるっ
分かるんだけどっ
ずっとこのままじゃ
ムリな気がするっ
オープンしたての
レストランは
毎日が試行錯誤の連続だ。
新たに2人
退職するけど…
今日から
お寿司メニューの
数を倍にします
今日から…!?

今から冷凍マグロを
生マグロに変更します
40キロ分の
生マグロ
今から!?
私もさばいたことないけど
私しかさばける人いないし…
生マグロだから
2日以内には
全て柵取りして
冷凍しなきゃ…
でも仕込みがっ
はわわわわっ
パタム…
…そんなことを
朝のベッドで反芻して
うむむとなるのだ。
うむむむっ…
朝起きた瞬間から
ずっとうむむしてるよね…

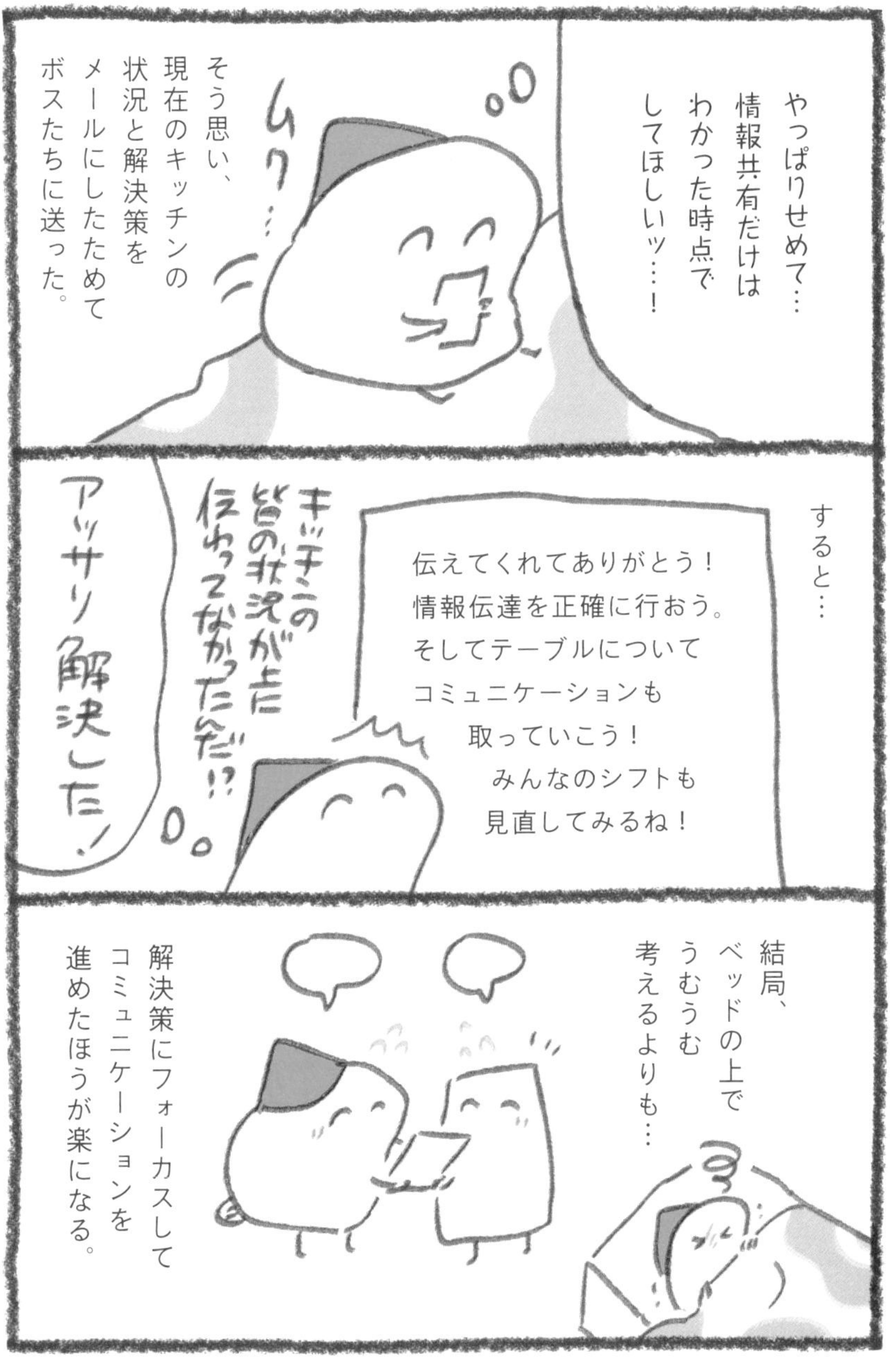
やっぱりせめて…
情報共有だけは
わかった時点で
してほしいッ…！
ムク…
そう思い、
現在のキッチンの
状況と解決策を
メールにしたためて
ボスたちに送った。
すると…
伝えてくれてありがとう！
情報伝達を正確に行おう。
そしてテーブルについて
コミュニケーションも
取っていこう！
みんなのシフトも
見直してみるね！
キッチンの皆の状況が伝わってなかったんだ!?
アッサリ解決した！
結局、
ベッドの上で
うむうむ
考えるよりも…
解決策にフォーカスして
コミュニケーションを
進めたほうが楽になる。

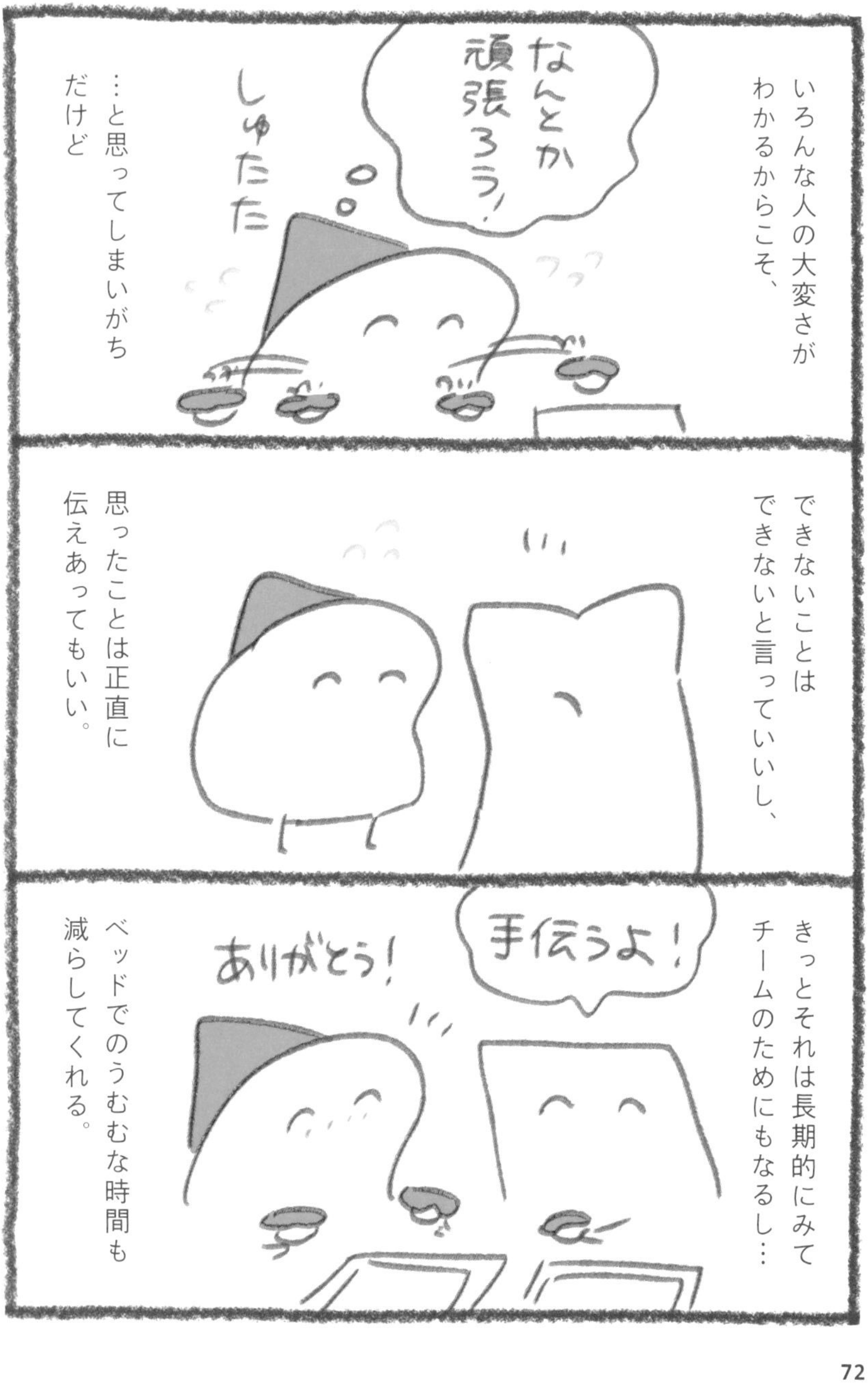
いろんな人の大変さがわかるからこそ、
なんとか頑張ろう！
しゅたた
…と思ってしまいがちだけど
できないことはできないと言っていいし、
思ったことは正直に伝えあってもいい。
きっとそれは長期的にみてチームのためにもなるし…
手伝うよ！
ありがとう！
ベッドでのうむな時間も減らしてくれる。

お寿司の一日

週明けの朝シフトでは、新鮮なお魚が一度に届く。

朝の静かな時間に、黙々とお魚をさばく時間はとても心地が良くて、私の一番のお気に入りシフトだった。

朝シフトの日

6時30分　起床
7時30分　通勤、シェフコートに着替える
8時　出勤
8時10分　コーヒーメーカーでみんなのコーヒーを入れて、今日のTODOリストをチェック
8時30分　届いたお魚を地下室からキッチンへ運ぶ
9時　お魚をさばき、塩を振ったり酢漬けにして仕込みをする
10時　新メニュー用の試作や、新しい材料を試してみることも
11時　ランチの酢飯を仕込み始める
日替わりお寿司のネタを決めてホールスタッフさんにも共有
12時　ランチ営業スタート
14時　まかないを作る
15時　ランチ営業終わり、みんなでまかないを食べる
15時30分　夜シフトの同僚にタスクを共有
夜営業の仕込みを手伝う
17時　キッチン全体のゴミ捨てと食器洗いが終わったら「kiitos päivästa!」
（フィンランド語で〝一日ありがとう／お疲れ様〟）

8時30分。地下に到着したお魚をワゴンでキッチンに運ぶ。

9時からお魚の仕込み。この日はカツオをさばく。

ランチまでの時間に、新メニューの試作を作る。

15時30分。夜営業に向けて、大量の小皿料理を仕込む。

17時。使い終わった食器を洗って片付けるまでが朝シフトの役割。

マグロの日

月に1度、大きな生マグロが40kg分届く日には、
スタッフみんなが寿司キッチンに見学に来る。
最初は数日かかっていたマグロの切りつけも、
数カ月後には1日で全て終えられるようになった。

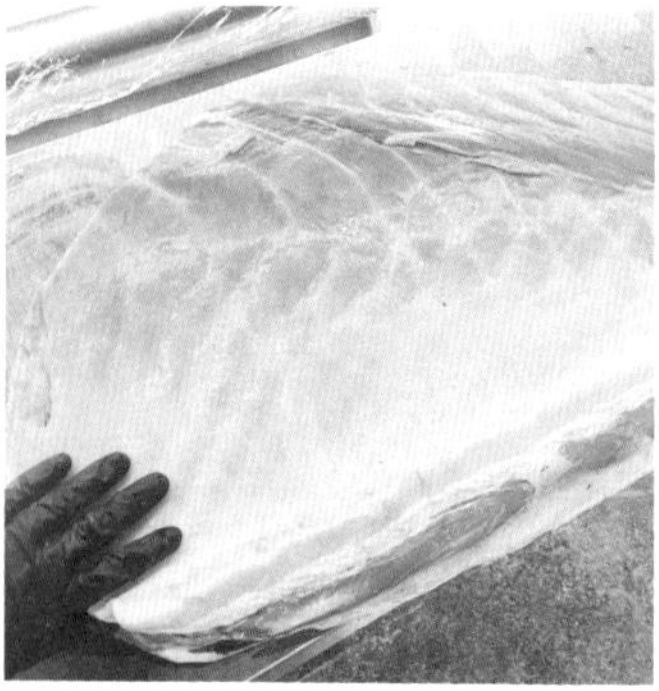

苦手な人には丁寧に
私は「苦手な人がいる自分」の状態があまり好きではない。
ムムム…
誰かを憎んだり、不幸を願ったり…
うう…ドロリとした気持ちがしんどいよう
モヤ〜〜。
ドロリン。
そんな気持ちを抱えるのは不健康で、何よりも自分がしんどい。
なので私は、そんな気持ちを「まぁ、もういいか」と手放して
“好きな人には親切に。苦手な人には丁寧に。”
そんな距離感で生きることにしてみた。

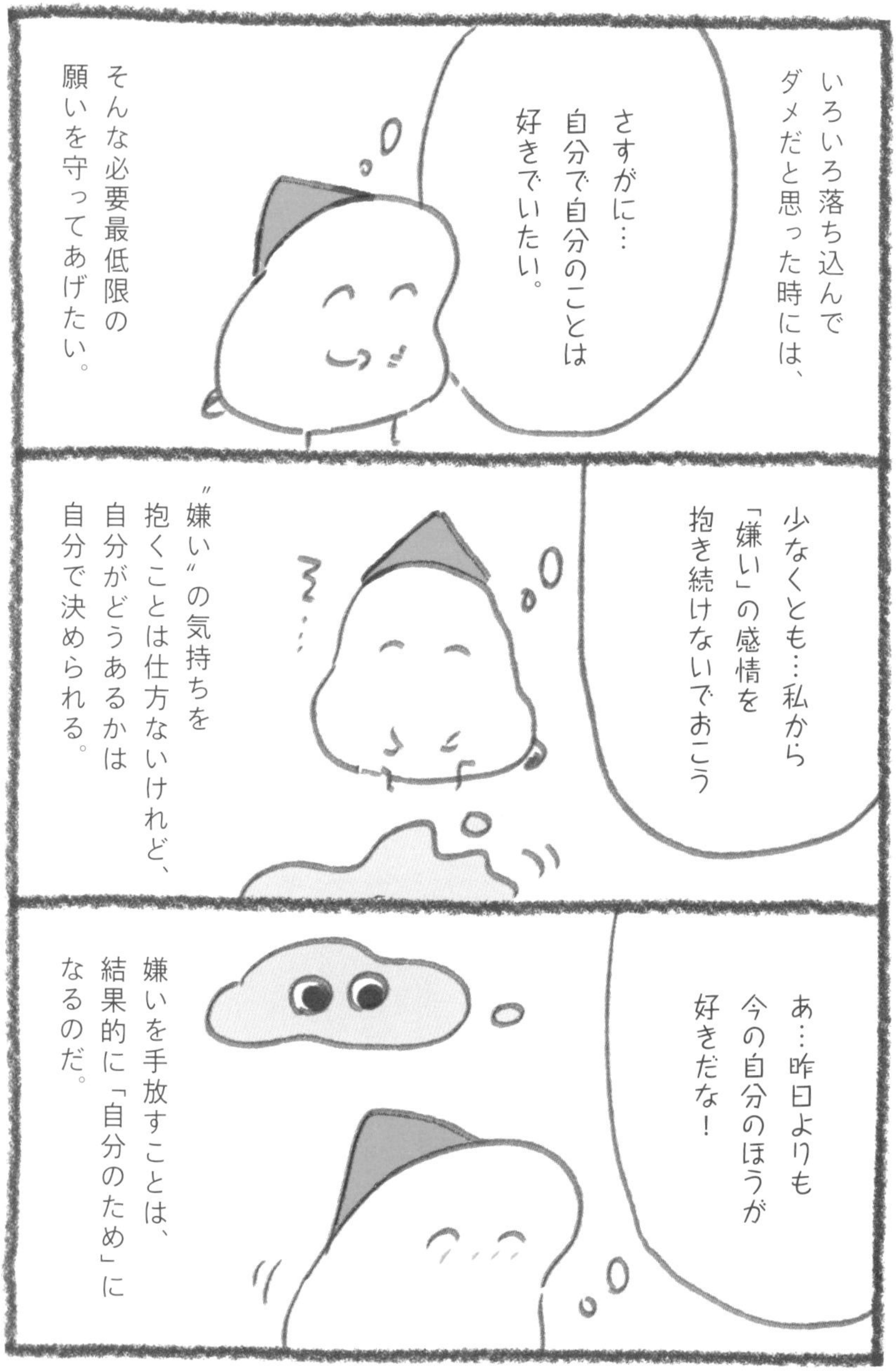
いろいろ落ち込んでダメだと思った時には、
さすがに…自分で自分のことは好きでいたい。
そんな必要最低限の願いを守ってあげたい。
少なくとも…私から「嫌い」の感情を抱き続けないでおこう
〝嫌い〟の気持ちを抱くことは仕方ないけれど、自分がどうあるかは自分で決められる。
あ…昨日よりも今の自分のほうが好きだな!
嫌いを手放すことは、結果的に「自分のため」になるのだ。

［キャリアのはなし②］２割・７割・１割の法則

私が仕事で一番大事にしていることは「目の前の人を好きになる」ことだと思う。もちろん最初から魔法のように好きになるわけではなく、相手のことを知ろうとしたり、素敵なところを見ているうちに、やっぱり「知れば知るほど」好きになっていることが多い。

一緒に働く仲間も、お客様も…「仕事だから」ではなく「この人のために」という気持ちから生まれるサービスは、まったく温度感が違ってくる。きっとそれは相手にも伝わるし、何よりも自分自身が楽しい。「誰がやっても一緒」ではなく「あなただからお願いしたい」と言われる仕事の裏には、「私も、あなただから頑張りたいんです」という愛が込められていると思う。

お寿司の試作

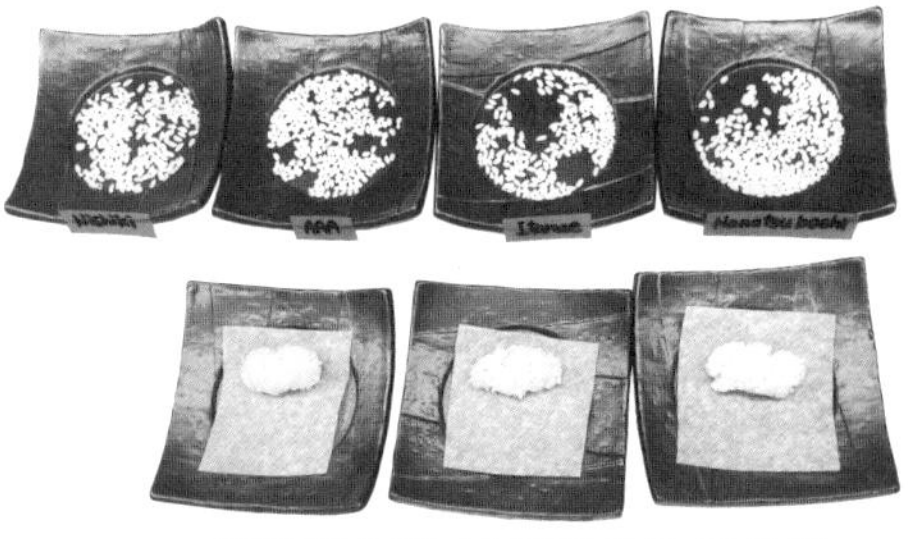

シャリ決めのために色んなお米を試す。人も仕事も、知れば知るほど好きになる

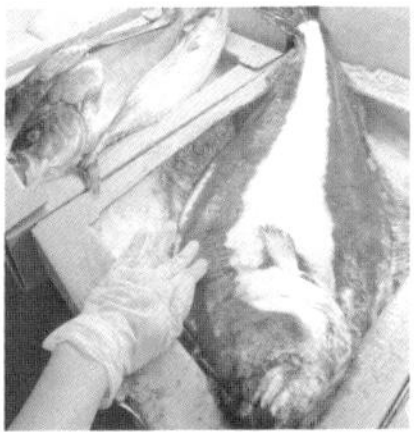

新しい魚を試すこともある

大切に手入れして使う仕事道具たち

けれど、どうしても双方に難しい時だってある。そんな時には、〝2割・7割・1割の法則〟を思い出す。

自分のことを「何をしても好き：どちらでもない：何をしても嫌い」な人の割合が、自然と2割・7割・1割になるというカール・ロジャースの法則だ。

どうしても難しい時には「世界の中の、たまたま出会ってしまった、たった1割。何をしても仕方がないのなら、自分よりも適任の人が向き合うほうがいいかもしれないし、相手にとってもそれが幸せだ」――そんな考え方も、選択肢のひとつにしている。

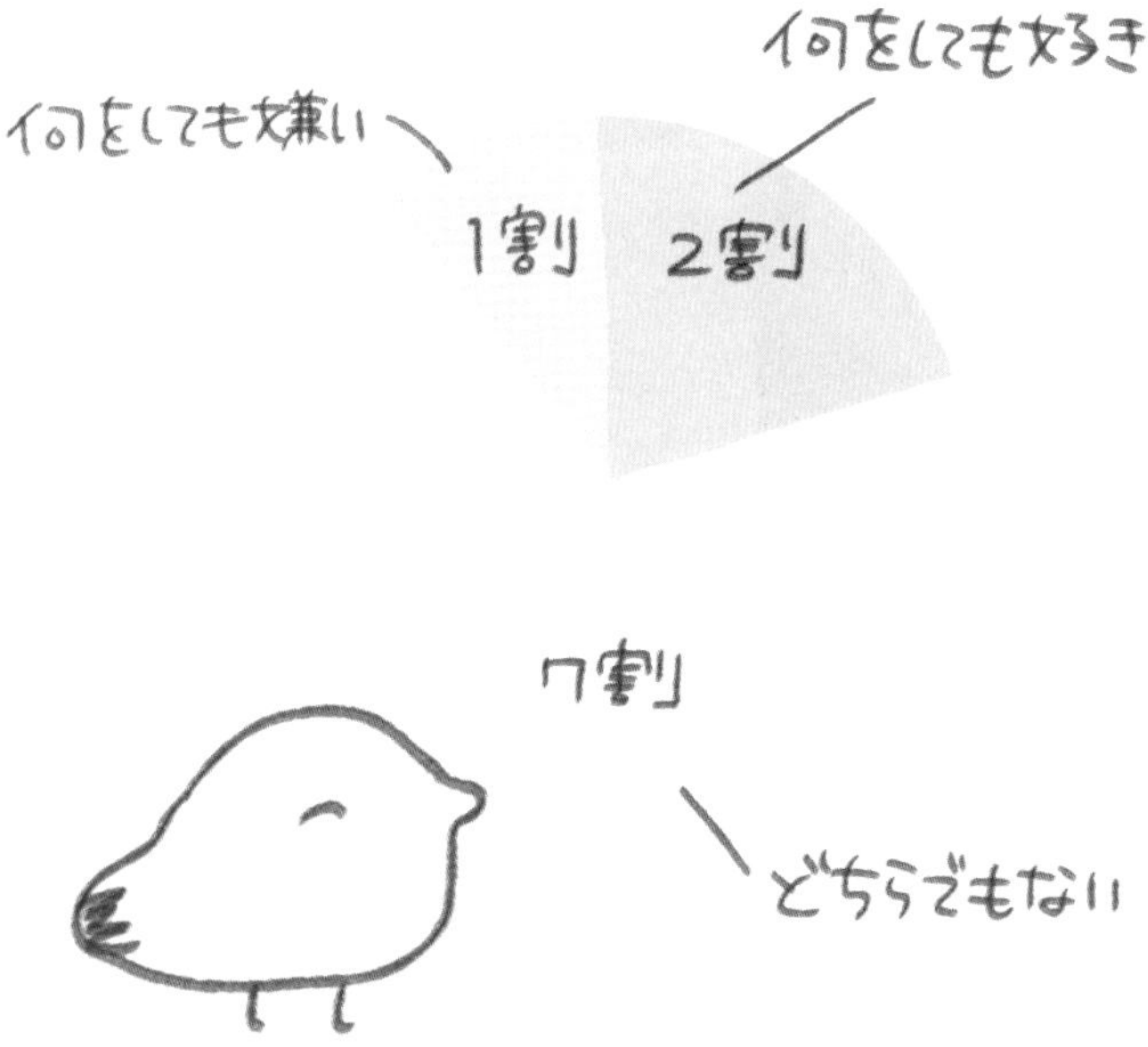

まかない作り
レストランで働き始めて6カ月が経ち、
サーモン20キロ!
魚の仕込みから在庫管理までできるようになった。
この量の魚が届いても動じなくなったし…
FISH
FISH
やり続ければ少しずつ慣れてくるんだな…
そんな嬉しさを感じていた。
…が。
チカ！今日のまかない、メインのサーモングリル担当お願いね！
メインの…サーモン…グリル…!!

私たちのレストランでは
まかない（スタッフフード）を
シフト制で作っている。
今日のまかない、チカは
ご飯炊いてくれる？
サラダだけ
作ってくれたら
OKよ！
今まではお寿司キッチンが
忙しすぎて、かなり
配慮されてきたのだが…
ついに…
やってきた…!!
メイン料理の
担当ッ…!
シェフやグルメな社員が
食べるまかない…
しかも20名分となると
プレッシャーが大きい。
あっ、あの、どんな味付けが
いいでしょうか…!?
ぴ～
チカの好きな
味付けで
いいんだよ！
照り焼きや
しょうゆ・
塩コショウでも

自信がなさすぎて塩コショウにしようとするも…
すみません…コショウが見つからなくて…
お寿司では使わない↓
あ、粒しかないからミルでひくんだよ
6カ月経ってもコショウの場所がわからず…
業務用の大きなスチームコンベンションオーブン↓
オーブンの設定ってこれであってますか
オooo…
あ、これだとスチームだからこのボタンを…
オーブンの使い方にもあたふたしっぱなし。
さらに別の日には…
チカ！ 今日のまかない、ベジタリアン向けのメイン お願いね！
!?
ベジタリアン向けの…メイン料理…!?
※スタッフの中にはベジタリアンも多く、必ず毎日用意する。

あのっ…何作ればいいか決まってますか？
ううん、なんでもいいよ！たとえばこの味付きの豆腐とか！
REVITTY TOFU
なっ…何コレッ…!?
翻訳したり周りに聞いたけどよくわからず、
これ何？
ケーキ？
消えたいッ
結局グリルして照り焼きソースを添えた映えない料理が完成した。
私、お寿司は作れるようになったけど
本当にそれだけだな…

自分のぽんこつさを
自覚するのは
恥ずかしいけれど、
でも…
ようやく
お寿司以外のことも
考える余裕が
できたんだ！
そう考えなおし、
それからは機会があれば
お寿司キッチン以外も
手伝うようになり
マリネ用
ソース作り
まかない作りを
盗み見する
WOW
これからはもっと洋食に
ついても学びたいと思った。
〝寿司以外ぽんこつ〟そんな
落ち込みがきっかけで、
ボスのおすすめの
フィンランド料理が
知りたいです…
ズシ
コレ超
オススメ！
シェフとして、
新しい扉が開く音がした。

レベルアップ
働き始めて7カ月目…
えっ…私…めちゃくちゃ包丁研ぐの速くなってる…!?
もうバリが出てるッ
急に開眼したかのように包丁研ぎがうまくなった。
英語も技術も、ある日突然うまくなるというけど
包丁研ぎも同じなのかな?
シャッ
シャッ
うれしくなって同僚の包丁も研いであげた
やはり継続は力だ。
さらにこの日、4人家族のお客様が…
私たちヴィーガンなんだけどいいかしら?
…と、8種盛り合わせをオーダー。

通常は用意がない中、その場でヴィーガン向けのお寿司を作った。
できたっ!
うれしそうなボス→
ビューティフル!!
よかった…
かっぱ巻きなどシンプルすぎるお寿司はボスからNGが出るのだ
そしてお客様も帰り際にわざわざお礼を伝えに来てくれて、
お寿司とてもおいしかったわ!
なんだかシェフとしてレベルアップできた気がして嬉しかった。

さらに翌日…
チカ、来週から新しいメニューを追加したくて…
魚に合うソースのアイディアをもらえるかな？
今日試食できたら嬉しい！
そんな依頼があり…
早速レシピを書き出して作ってみた。
定番のヅケと甘ダレとポキスタイルで…粘りのあるものとないものを用意しました！
ひと口サイズのサーモンをマリネしているので食べ比べてみてください
ズラ～
チカ…すばらしいよ！
味もいいし、何よりこの準備が美しくて感動したよ

このポキソースをベースに、もう少し粘り気を出してもらえる？
はいっ
こうして初めて、自分が提案したソースが採用された。
この自家製ソースはその後、メイン料理の味付けにも使われて…
It's yours!（君のソースだよ）
わァ…！
〝寿司はできるけど、それだけ〟だった私が
ソースは洋食の命！
ぐつぐつ
少しずつ、この場所ならではの料理に踏み込んだ7カ月目だった。

お魚ソースレシピ

家庭でも簡単に作れるようアレンジした魚丼のソースレシピ3選。

ご飯にのせても、おつまみの一品としても美味しいソースです。

たくさんの試作でベストな味を決めていく。とろみをつけたい時はコーンスターチを加える。

どんな魚にも合う
基本の魚丼のタレ

材料（2人分）

タレ
- しょうゆ…大さじ3
- みりん…大さじ1
- 酒…大さじ1

具材
- お好みの刺身

トッピング
- 大葉
- 海苔

1 タレの材料を中火で熱し、よく冷ましてからお好みの刺身を30分漬ける。

2 細切りにした大葉と、ちぎった海苔と1を酢飯（白米でも）の上にトッピングして完成。

甘めの漬けタレ

材料（2人分）

タレ

A
- 酒…大さじ2
- みりん…大さじ2

- ●しょうゆ…大さじ4
- ●砂糖…大さじ2
- ●水…100cc
- ●顆粒だし…小さじ1/2

具材

- ●お好みの刺身（サーモンやカンパチなど脂の乗った魚がおすすめ）

1 Aを中火にかけ、沸騰したら火を止める。

2 その他のタレ材料を加えて混ぜ合わせ、再び沸騰させたら火を止める。

3 よく冷ましてからお好みの刺身を10分漬け、酢飯（白米でも）にのせて完成。

和風ポキソース

材料（2人分）

ソース

- ●しょうゆ…大さじ4
- ●みりん…大さじ2
- ●ごま油…大さじ1/2
- ●わさび…小さじ1/2
- ●すりおろしにんにく…小さじ1/2
- ●ごま…小さじ1/2

具材

- ●お好みの刺身（サーモン、マグロがおすすめ）

お好みでアボカドを加えても美味しい

1 ソースの材料をすべて混ぜ合わせて、お好みの刺身を10分漬ける。

2 酢飯（白米でも）の上にお好みでアボカドと共にトッピングして完成。

僕たちのスタイル
ある日魚をさばいていると
チカ、このあと
30分ほど
時間いいかな？
シリアスな
話じゃないよ。
大丈夫です
改まって
何だろう…？
30分って
シリアスじゃない
って言ってたけど
こんな呼び出し
はじめて…
もしかして
私何かしたかな…
まさか…クビ!?
考えすぎて
胃が痛くなった
モ…
モイ…
緊張しなくて
いいんだよ

今日は全員に
実施している
フィードバック面談だよ
わ、
ホ…
ミラだったんですね!!
さて、チカも
働き始めて
数カ月経つけど…
どう？
幸せ？
あっ…はいっ…!!
すごく幸せです。
今でもここで
働けているのが
夢かなと思ってて…
できるだけ長く
働きたいです

ワンダフル!!
それを聞けてよかったよ!
パァ
うれしそう
じゃあ何か心配なことや改善したいことはある？些細なことでもいいよ
あ…
これは日本の味じゃない
実は最近、ある時もらった言葉がずっと気になっていた。
あの…実は…私はここで働けて幸せだけど…
ずっと自分のスキル不足が気になって、皆さんに申し訳ないと思い続けています

ここで唯一の日本人である私が、〝正解の味〟をどこまで追求すべきなのかも迷っています
私はフィンランドが大好きで、この場所ならではのアレンジも魅力的だと感じているから…
なので…そんな私が唯一の日本人シェフでいいのかなって不安な気持ちでいます
他のシェフならもっと…
ゴニョゴニョ
ふむ…
チカ。料理に正解や不正解はない…
あるのは〝スタイルの違い〟なんだよ

〝忠実な〟日本食を出すスタイルの店もあれば、
フィンランド文化を融合させた新しい料理を作るスタイルの店もある。
大事なのは〝自分たちが何を作りたいか〟だよ。
だから…これからもっと話す機会を作ろう
みんながどんな想いを持っていて…何を作りたいのかをね
そして忘れないで
〝僕たちのスタイル〟はチカも一緒に作るものなんだよ
はい…!!

フィードバック面談
一人で悩んでたことも…フィードバック面談でお話しできてよかったです
ありがとうございましたっ…!!
…ここでチカに伝えたいことが3つある
君の素敵な点についてだよ
1つ目に、僕たちは君のスキルをリスペクトしてる
知識も、技術も、僕たちに必要不可欠なものだ

2つ目に、君はどんな時も落ち着いている。変化も多い数カ月、怒りやストレスもあったはずだけど…
君は決してそれで誰かに当たるようなことはしない
そして3つ目に、君はとても前向きだ
いつも、誰に対しても協力的でポジティブで…その前向きさがキッチンに与えてくれる影響は大きい
これらは、君がシェフを続けるうえで非常に大きなストレングスだと、僕は思う
ボ…ボス…!!

そのうえで僕から要望があるとすると、これからは〝チカのリーダーシップ〟にさらに期待したい
きっと今まで、自分に自信がなくて周りに言えないことがたくさんあったと思うんだ
だけど僕は知っているよ。君にはたくさんのアイディアがあることを。
これからは遠慮せずチカらしいリーダーシップを表に出してほしい。
それが僕からの要望だよ
・・・・・

あっ…ありがとうございます！
実は最近、完全に自信を失っていたんです
だけど…今日そう言ってもらえて、自分にもできることがあるんだって思えました
ハハハ
僕だって、自信を失うこともあるよ
パチンッ
でもだからこそチームがいるんだ
あっという間の面談だったけれど
たったこれだけの時間で…
抱えていたモヤモヤが晴れちゃった…
ぺこ

私は今日まで
〃もっと英語が話せたら…もっと自分にスキルがあれば…〃
そんなふうに考えて、自分で勝手に殻に閉じこもっていたのかもしれない。
私に一番必要だったのは言葉やスキルではなく…
助けを求めたり、自分の考えを伝えたり…
コミュニケーションを取ろう!　という意志だったんだ
まだまだ、今の私のままできることがある
そう思えた、ボスとのフィードバック面談だった。

だんだんと夜が長くなり…
本格的な冬がやってきた。

フィンランドの四季

からっぽの日
夏、フィンランドのホリデーシーズンがやってきた。
今年はノルウェーにひとり旅することにしたんだ
いいなぁ！明日から休みだよね。すぐに出発するの？
旅に出るのは3日後だよ
"からっぽ"の日が必要だからね
エンプティデイ
からっぽの日？

仕事を終えて気持ちが落ち着くまで自分は少し時間が必要だから…
何もない日を過ごしてから旅に出たいんだ
ちなみに旅から帰ってからもからっぽの日を作るようにしてる
誰にも会わないっ
わたし、いつも連休はついつい予定詰め込んじゃう…！
たしかにね

旅は楽しいものだけど…
少なくとも自分にとっては同時に疲れることでもある。
だから、旅の日数が短くなったとしても
からっぽの日は同じくらい大事なんだ
ホリデーの目的は〝休むこと〟だしね！
楽しいけれど、疲れる。それを自覚してちゃんと休めることは素敵だと思った。

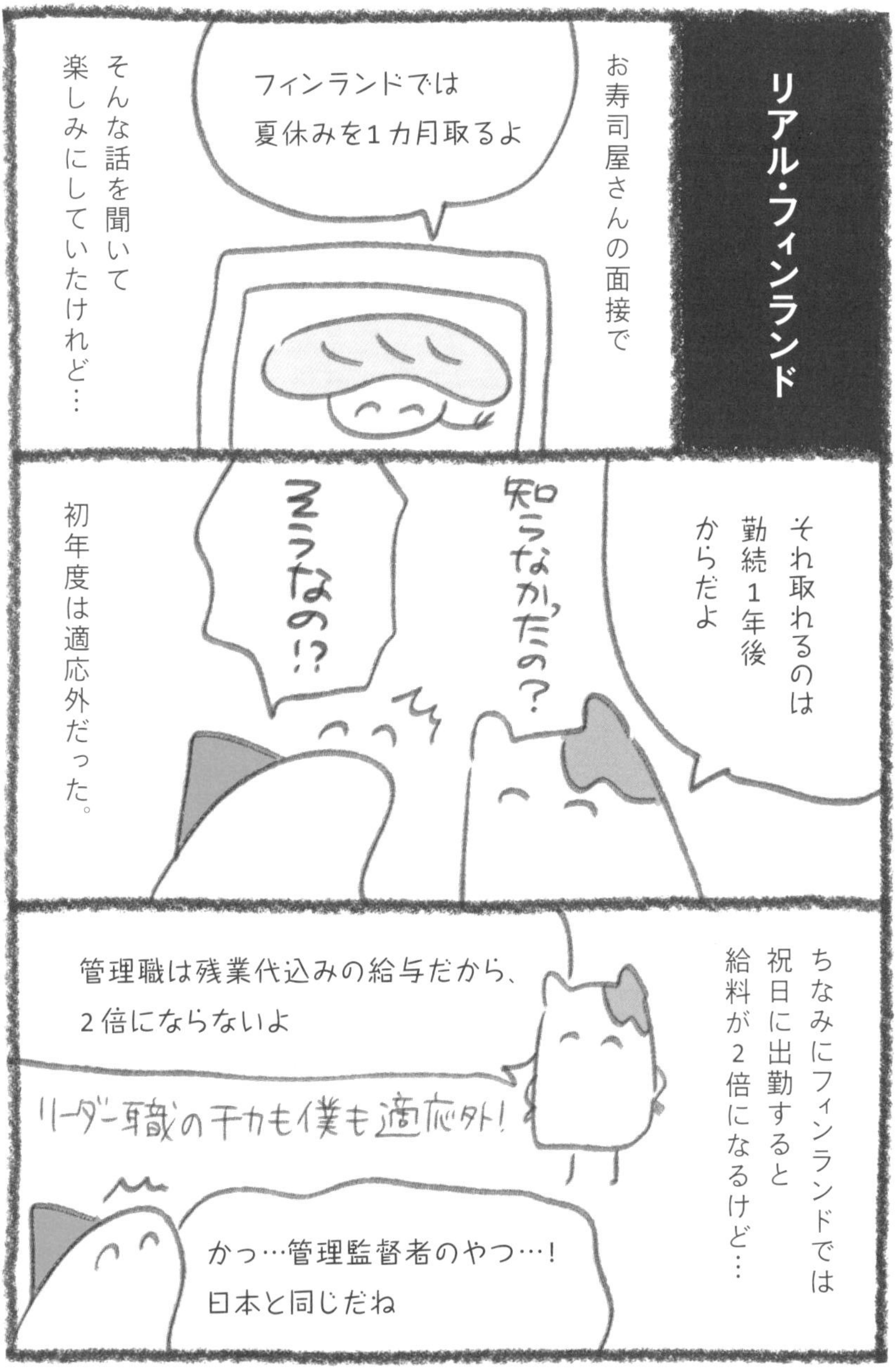
リアル・フィンランド
お寿司屋さんの面接で
フィンランドでは夏休みを1カ月取るよ
そんな話を聞いて楽しみにしていたけれど…
それ取れるのは勤続1年後からだよ
知らなかったの?
そうなの!?
初年度は適応外だった。
ちなみにフィンランドでは祝日に出勤すると給料が2倍になるけど…
管理職は残業代込みの給与だから、2倍にならないよ
リーダー職のチカも僕も適応外!
かっ…管理監督者のやつ…! 日本と同じだね

ということで今週の祝日は管理職だけで営業するよ！
他のシェフは来ないんだ!?
他のシェフは前日の定休日(月曜日)に出勤して仕込みをする
月よう日(平日・定休日)一般シェフ
火よう日(祝日)管理職シェフ
祝日当日は管理職だけにすれば、人件費を抑えられるからね
たしかに…！
そして独立記念日の祝日は…
ベテランばっかりでアベンジャーズみたい
管理職がよく働くのは日本と同じみたいだ

ちなみに年末年始の休みは…
クリスマスは24、25が休みで年末年始は1月1日だけ休み。12月31日も仕事だよ
意外と少ないッ
さらにフィンランドには"振替休日"がないので
25日も1月1日も日曜日…もともと日曜は店の定休日だし実質休みも変わらないッ
今年のカレンダーが憎いよッ
日本で働いてた頃よりも休みが少ない…!
最長の連休はミッドサマーの3連休!?
これもリアル・フィンランドだ

ある1週間のスケジュール

日曜日	休み		
月曜日	お寿司休み	1日漫画デー	
火曜日	お寿司8時間勤務	半日漫画デー	
水曜日	お寿司8時間勤務	半日漫画デー	
木曜日	お寿司8時間勤務		
金曜日	お寿司10時間勤務		
土曜日	お寿司12時間勤務		

週5日勤務、お休みは日曜と月曜。火曜と水曜の朝シフトの日は、帰宅後に漫画の執筆。

お寿司の仕事の繁忙期は12月。「ピックヨウル（小さなクリスマス）」という忘年会的なイベントが開かれる。シーズン中のレストランは、いつも満員御礼。職場の同僚や友人同士で小さなサンタ帽をかぶったお客様が「キッピス！」と乾杯する姿は、見ているだけで幸せな気持ちになった。

けれど同時に、キッチンは佳境を迎えていた。年間で一番の繁忙期にシェフたちの休職や退職が続き、最少人数で最大人数のお客様をお迎えしなければならない。休職中のシェフには給料の支給が続くため、レストランでは新しい人を雇うのにも二の足を踏む状況が続いた。

通常ならば8時間のシフトを、みんな朝から夜まで通しで12時間近くこなす。ある時、私の働き方を知ったフィンランド人の友達のご両親（!）が「そんな働き方は違法よ。私からレストランに匿名で電話をしてもいいかしら？」と真剣に提案されたこともあった。日本で寿司修業をしていた頃から「飲食業界は長時間労働が当たり前」という

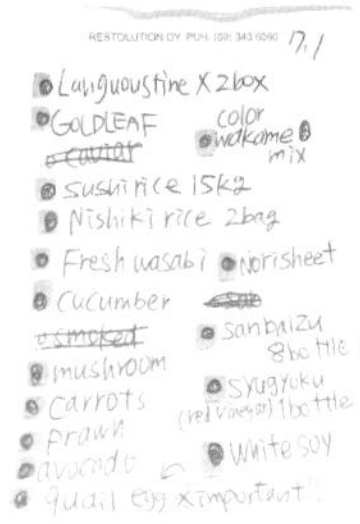

在庫チェックのメモ。

イメージを自分自身が持ち続けていたので、真剣に「違法だ」と声を上げるフィンランドの人たちの姿に目が覚めた思いがした。日本以上に労働時間にシビアなフィンランド。だからこそ、ボスを含め同僚みんなが強く自分自身に無理を強いた時期だったと思う。「これがずっと続くわけではないし、続かせない。一番大変な時期だけど、何とかみんなで乗り越えよう」。そんなボスの掛け声で、頭から煙を出しながら駆け抜けた年末年始だった。

けれど、どんなに忙しくても守り続けたマイルールがある。

それは「一日7時間寝ること」、そして「何もしない日曜日を持つこと」だ。

どんな状況でも、この2つを守り続けながら呼吸を整える。

人は寝ないと元気が出ないし、人生には〝自由な余白〟がないと楽しめない。

こうして守った自由な日曜日には、のんびりひとりで過ごしたり、友達とゆるやかな遊びを楽しんだ。

自然の中で過ごしたり、家で料理を作ったり…そんな無理のない「ゆるやかな予定」が心地よかった。

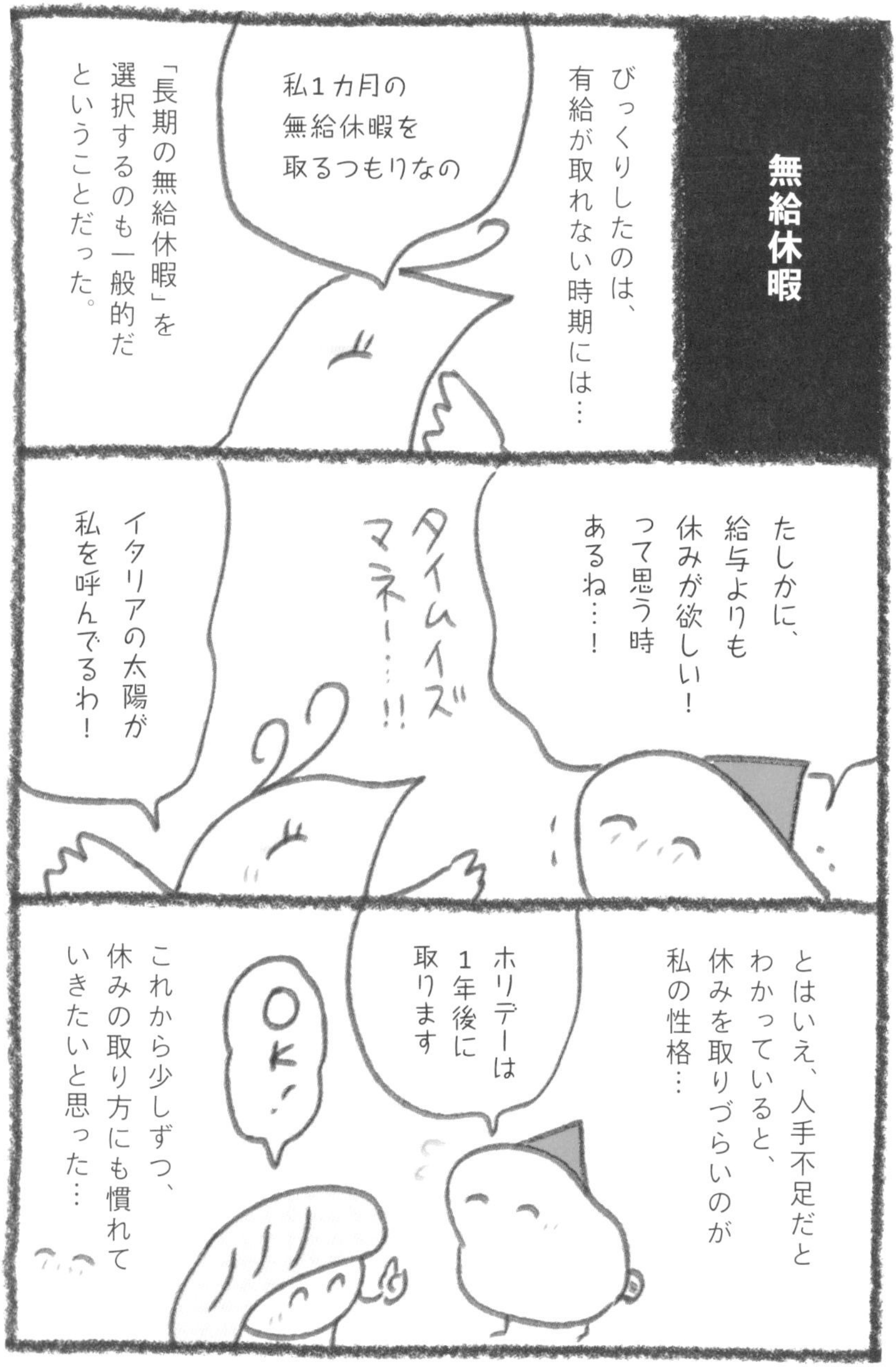
無給休暇
びっくりしたのは、有給が取れない時期には…
私1カ月の無給休暇を取るつもりなの
「長期の無給休暇」を選択するのも一般的だということだった。
たしかに、給与よりも休みが欲しい！って思う時あるね…！
タイムイズマネー…!!
イタリアの太陽が私を呼んでるわ！
とはいえ、人手不足だとわかっていると、休みを取りづらいのが私の性格…
ホリデーは1年後に取ります
OK.
これから少しずつ、休みの取り方にも慣れていきたいと思った…

日曜日の同盟
夏、フィンランド人の友達と「晴れたらピクニックをする同盟」を組んだ。
元ペンパルでフィンランド移住後に初対面した友達↓
その名の通り、晴れた日曜日はヘルシンキのいろんな島や公園でただピクニックをする。
今日はここにしましょう!
コーヒー淹れるね
わ〜い
毎週会って、特に話すことはないのだけど
白樺キレイだね〜
ね〜
「晴れたらピクニックをしよう」そんな約束のおかげで、理由がなくても会える友達になれた。

冬になりピクニック同盟が冬眠に入った代わりに、美術館同盟ができた。
フィンランド中の美術館に行ける年間パスを2人で買った。
寒いから美術館行こうか
キアズマで新しい展示始まったよ
外はマイナス10度。
Kiasma
雪が降り始めた暗い日曜日は、美術館同盟にぴったりだ。

お気に入りの美術館＆博物館　5選

① キアズマ現代美術館

展示が変わるたびに訪れる、
お気に入りの美術館。
ヘルシンキ中央駅からも近く、
ミュージアムショップが充実しているのも嬉しい。

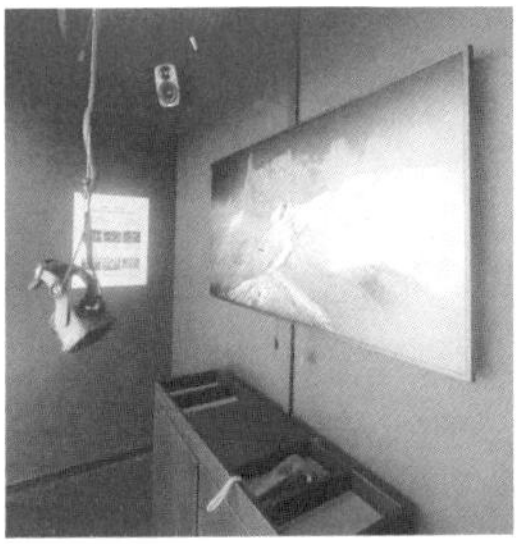

② 音楽博物館 Finnish Music Hall

フィンランドのフォーク音楽からメタル音楽まで、
様々な音楽の歴史を映像と音で楽しめる。
VRカラオケがあり、フィンランド語楽曲の
ひとりカラオケが楽しめるのが
個人的なお気に入りポイントだ。

3

ヘルシンキ自然史博物館

シュールでかわいい古代魚サカバンバスピスの模型で一躍有名になった博物館。
建築や展示自体も見所が多く、
光の注ぐカフェスペースもお気に入りだ。

4

フィンランド科学センター ヘウレカ

プラネタリウムがあり、運良くオーロラの
プログラムがあれば夏のオーロラも楽しめる。
大きなカフェスペースに、
科学感たっぷりのミュージアムショップも楽しい。

5

ヘルシンキ市立美術館 HAM

ヘルシンキの街中にある、
大きなかもめが目印の美術館。
常時展示されているトーベ・ヤンソンの大きな壁画から
「隠れムーミン」を探す時間が好きだ。

好きなことを
ある日の夜、
あなたはなぜ
シェフという仕事を
しているんですか？
お客さんがそう
同僚に尋ねた。
それはもちろん
好きだからですよ
それに好きじゃないと
これほど大変な仕事続きませんよ
HAHAHA
そんなまっすぐな回答が
気持ちよかった。

逆に「この仕事は今の自分にとって面白くはないかもしれない」と気づいたら
今日いっぱいでシェフを卒業することにしました
違う道を模索する人もいる。
もうすぐだね。さみしくなるよ…
次何するの？
ありがとう。実は学校に入り直そうと思っていて…
フィンランドは学費が無料で…
社会学者を目指すつもり！
社会人になってから全く別の分野を〝学び直す〟人も多い。

また別の同僚も…
僕も近々、別のレストランに転職するんだ
ええ、そうなの!?
次に働くのはここなんだけど
インスタでお店の写真を見せてくれた
家庭的なお店だね! かわいい〜〜〜
わ〜
そうなんだ。少人数の小さな店で働くんだけど…
メニューも少ない分、一つひとつの料理に集中できるのが自分に合ってるって気づいたんだ

あと、オファーもよかったから！
断れないくらい…
もぐっ
とはいえ
オファーの金額も
もちろん
大切だ
また食べに来てよ！
絶対に行くっ!!
ブンブン
みんな…
「自分に合ったスタイル」を考えて
道を選んでるんだ
人も自分も、
変わっていく…
そんな前提に
立ちながら、
時に方向転換して
「好きな仕事」を
選び続ける。
そんな生き方を
同僚たちに
教えてもらった。

冬の影
だんだんと夜が長くなり…
本格的な冬がやってきた。
朝8時出勤のシフトで
レストランに向かう時は
まだ
イルミネーションが
映えてる…
そして15時に
退勤する時にも…
もう
イルミネーションが
灯ってる…!

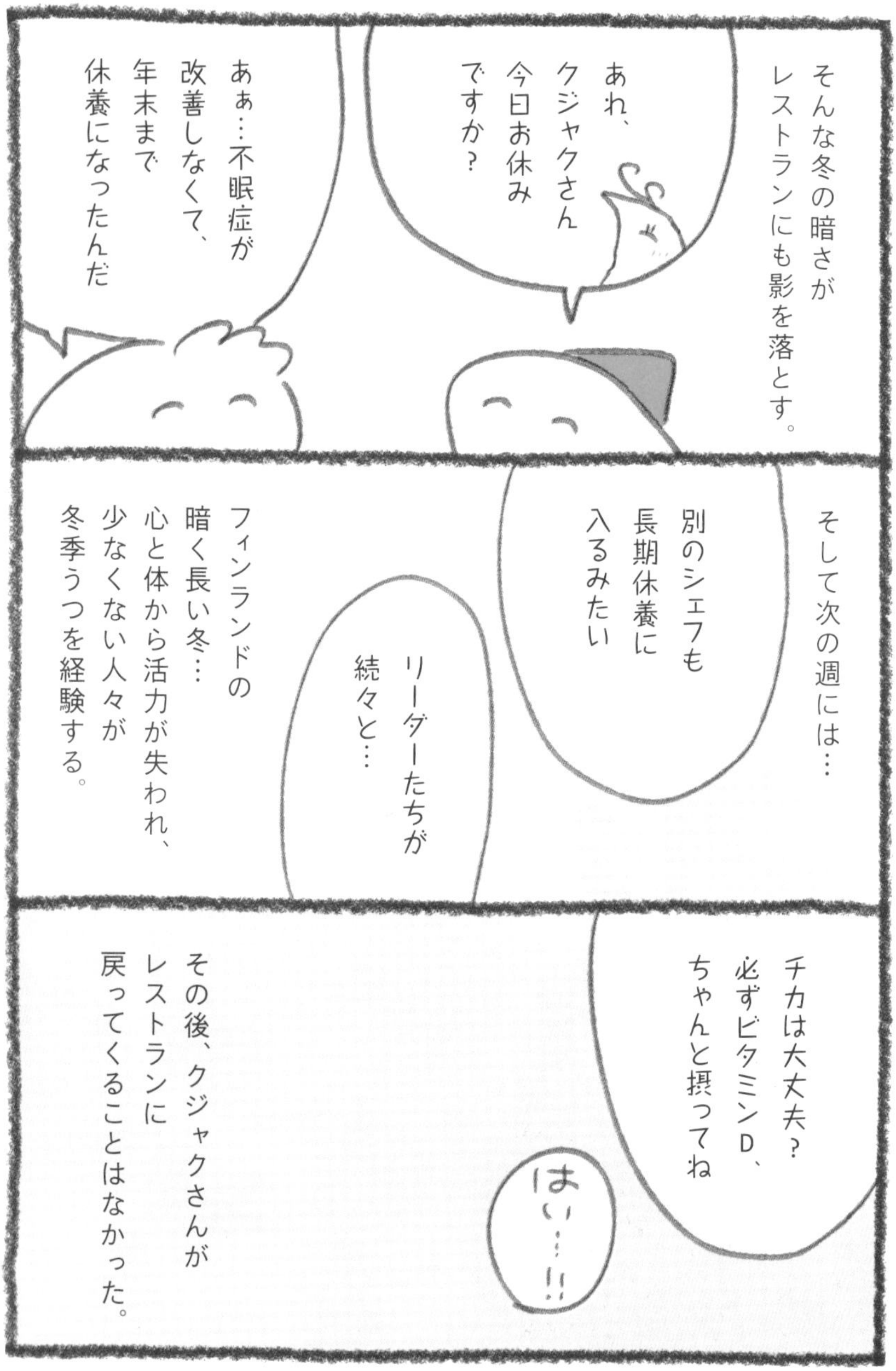
そんな冬の暗さがレストランにも影を落とす。
あれ、クジャクさん今日お休みですか？
あぁ…不眠症が改善しなくて、年末まで休養になったんだ
そして次の週には…
別のシェフも長期休養に入るみたい
リーダーたちが続々と…
フィンランドの暗く長い冬…心と体から活力が失われ、少なくない人々が冬季うつを経験する。
チカは大丈夫？必ずビタミンD、ちゃんと摂ってね
はい…!!
その後、クジャクさんがレストランに戻ってくることはなかった。

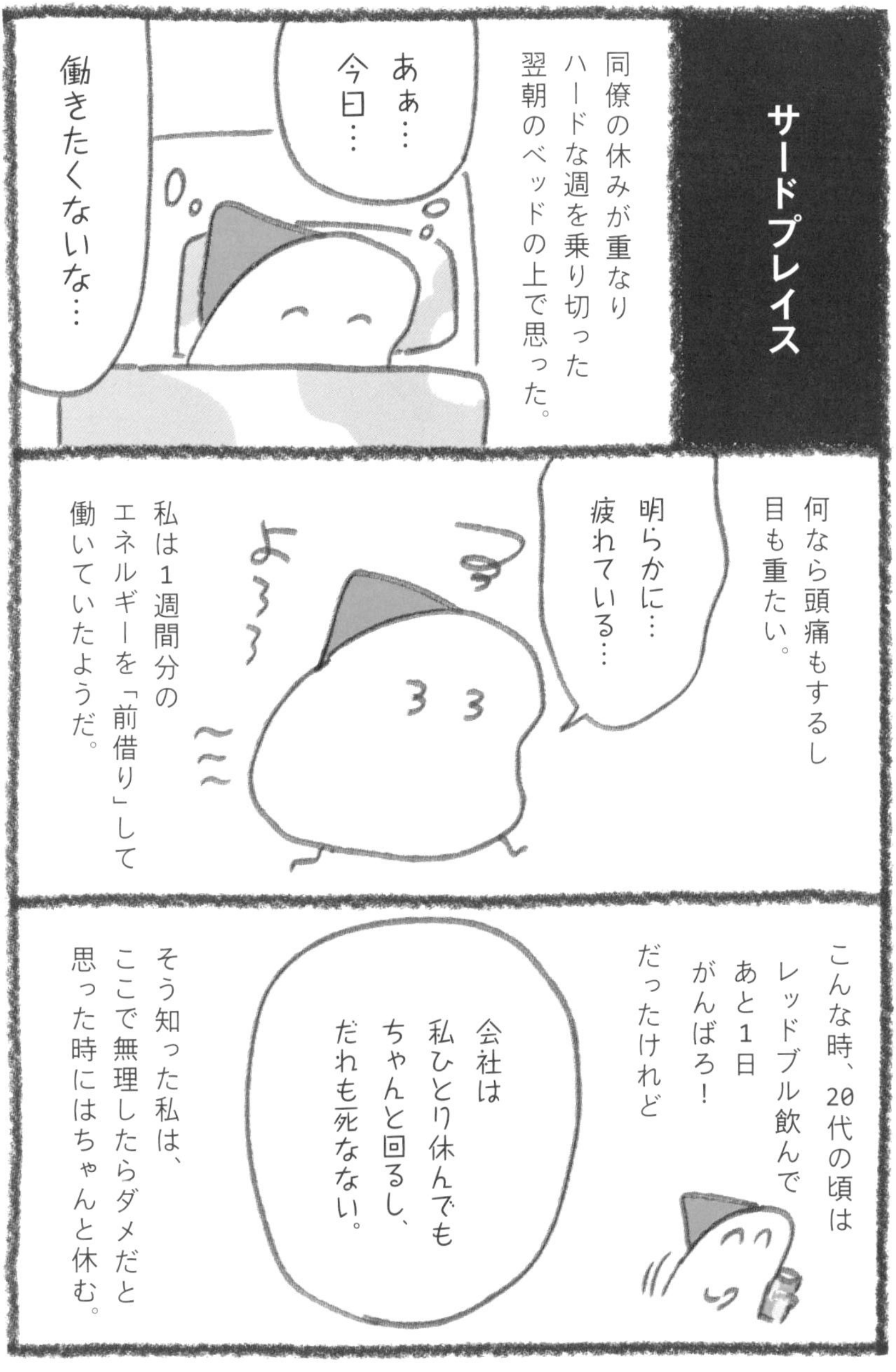
サードプレイス
同僚の休みが重なり
ハードな週を乗り切った
翌朝のベッドの上で思った。
ああ…
今日…
働きたくないな…
何なら頭痛もするし
目も重たい。
明らかに…
疲れている…
よろろ
私は1週間分の
エネルギーを「前借り」して
働いていたようだ。
こんな時、20代の頃は
レッドブル飲んで
あと1日
がんばろ！
だったけれど
会社は
私ひとり休んでも
ちゃんと回るし、
だれも死なない。
そう知った私は、
ここで無理したらダメだと
思った時にはちゃんと休む。

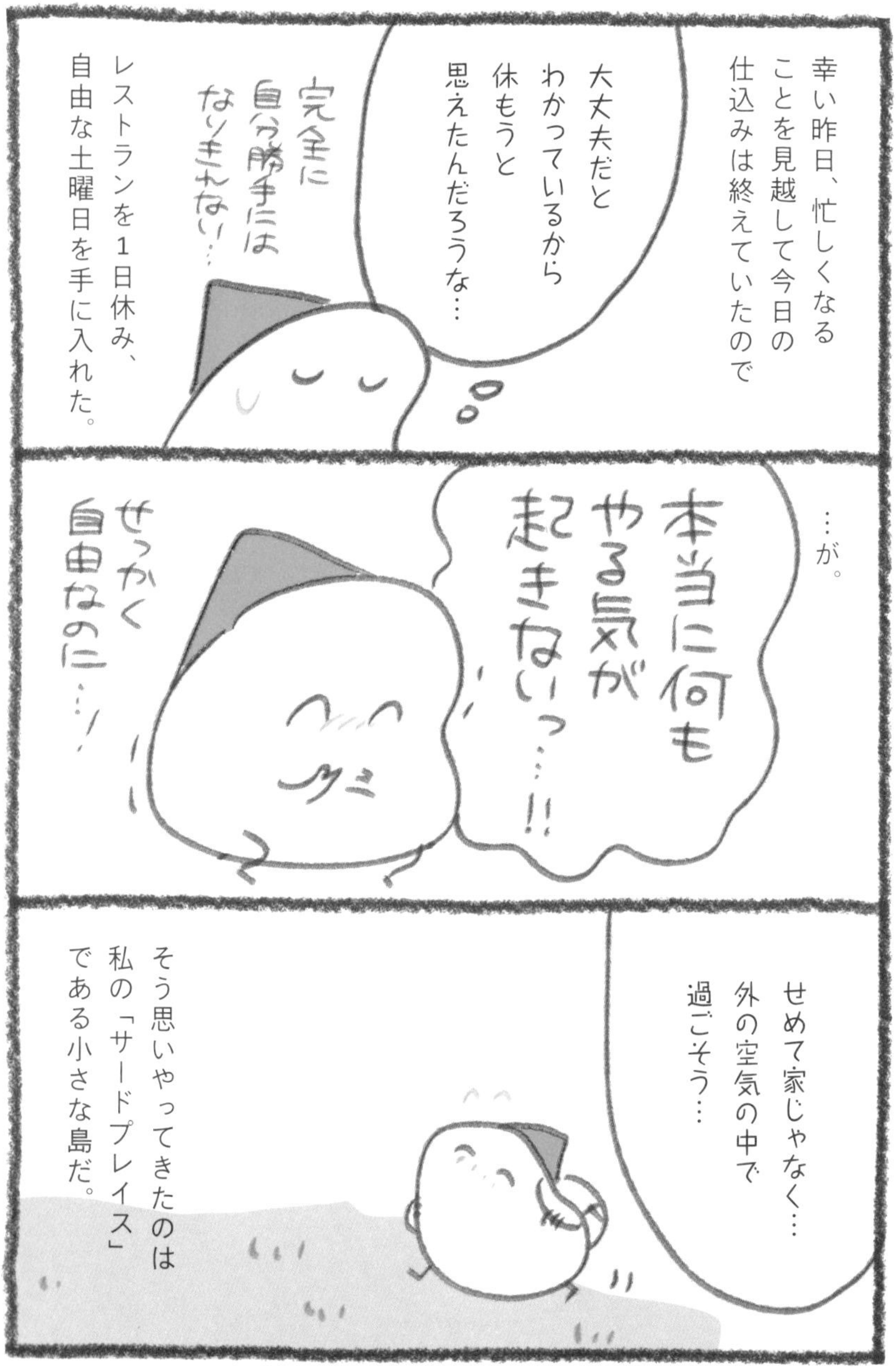
幸い昨日、忙しくなることを見越して今日の仕込みは終えていたので
大丈夫だとわかっているから休もうと思えたんだろうな…
完全に自分勝手にはなりきれない…
レストランを1日休み、自由な土曜日を手に入れた。
…が。
本当に何もやる気が起きないっ…!!
せっかく自由なのに…!
せめて家じゃなく…外の空気の中で過ごそう…
そう思いやってきたのは私の「サードプレイス」である小さな島だ。

サードプレイスとは、
自宅でも職場でもない
「第三の居場所」。
今までは旅で訪れる
〝ヘルシンキ〟の街自体が
私にとっての
サードプレイスだった。
けれど移住後、
この街に自宅も職場も
できた結果…
〝ヘルシンキ〟の
中の
サードプレイスが
できたんだね
そんな変化が
少し切なくもあり、
同時に嬉しくもある。
さて、コーヒー
淹れよっかな
ズッラ
PC
iPad
昔の日記
今の日記
本2冊
コーヒー
バーナー
ビール
ジュース
ナッツ
ポップコーン
荷物多くない!?
エッ…

自分が何をしたくなるのかわからなかったから…

リュック大変だったでしょう…

何もしたくない時は、そのあと〝何をしたくなっても大丈夫〟なようにあらゆるものを持ち込む。

こうしてなんでもできる〝自由の準備〟を整えて
コポポ…

サードプレイスで気ままな時間を過ごすのだ。

ぼー…

ピチチ…

なんとなく…
目に留まった
昔の日記を
開いてみると
ある年のクリスマス…
誕生日なのに風邪をひいて
会社を休んだ日に
こう書いてあった。
頭が冴えないのは、
疲れのサイン。
ちゃんと休もう。
本当に…その通りだな…!
過去の自分ッ
そんな過去の学びがあって、
今ではバーンアウトする前に
自分で休みを作れている。
そんな進歩が嬉しくなった。

私のサードプレイス

ヘルシンキの西側に位置するこの小さな島セウラサーリ島は、中心部からバスで30分ほどの場所にある。島と陸地をつなぐ白い橋のたもとには、夏になるとソフトクリームの屋台がオープンする。

ここでソフトクリームを買って、ほおばりながら橋を渡るのがお決まりだ。

橋を渡ると、小さなカフェがある。ここでシナモンロールやコーヒーを買うのもいい。そのまま島をカフェ側に沿って歩いていくと、大きな岩とビーチの広場に水着姿で日光浴を楽しむ人々の姿。心地よい木陰を見つけてピクニックシートを水辺にセッティング。のんびりと、時間を気にせずに過ごすのが好きだ。

さて、帰ろうか。そんな気分になったら、ピクニックシートを畳んで島の反対側へ。

夕日に染まるヘルシンキの街を、大きな岩の上から眺める。

セウラサーリ島にはリスがたくさんいるので、リスを探しながら歩く。私の友達にも（なんと2人も）リス目的でセウラサーリに通うリス好きがいるほどだ。

セウラサーリ島Map

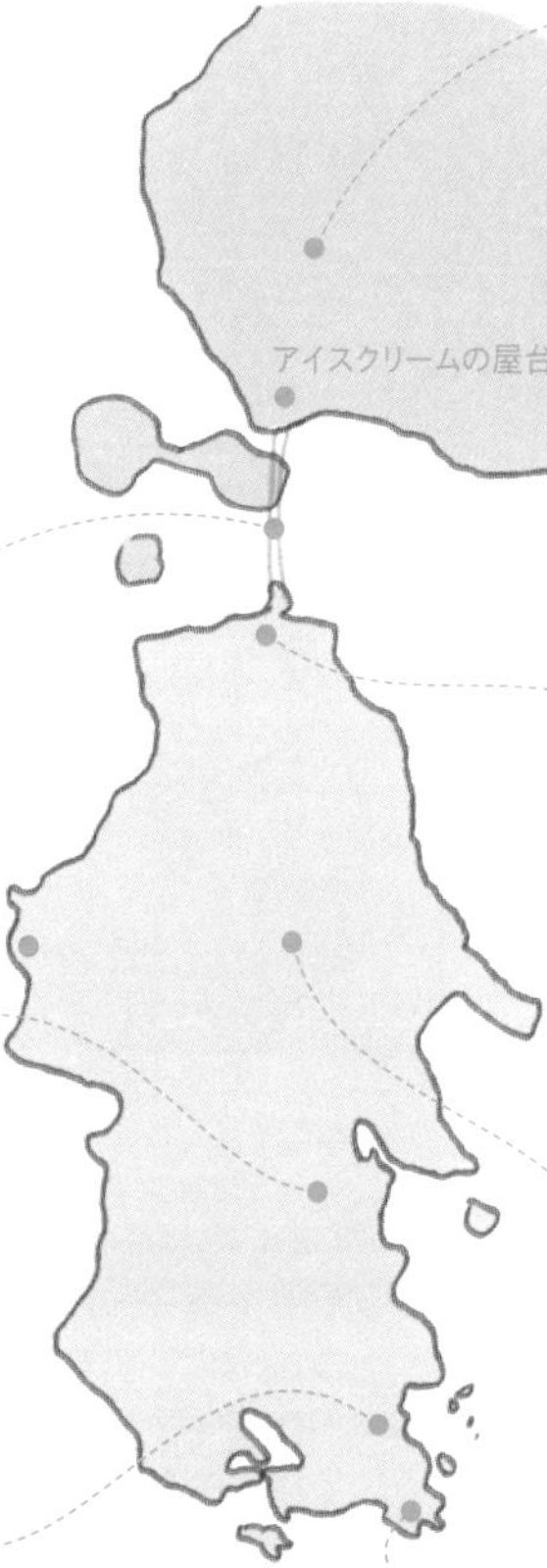

セウラサーリ野外博物館

古い木製の小型船、水車、貯蔵庫に教会…まるでタイムスリップしたような世界が広がるエリアだ。昔のフィンランドの人々の暮らしに思いを馳せながら、ゆっくりと歩く。

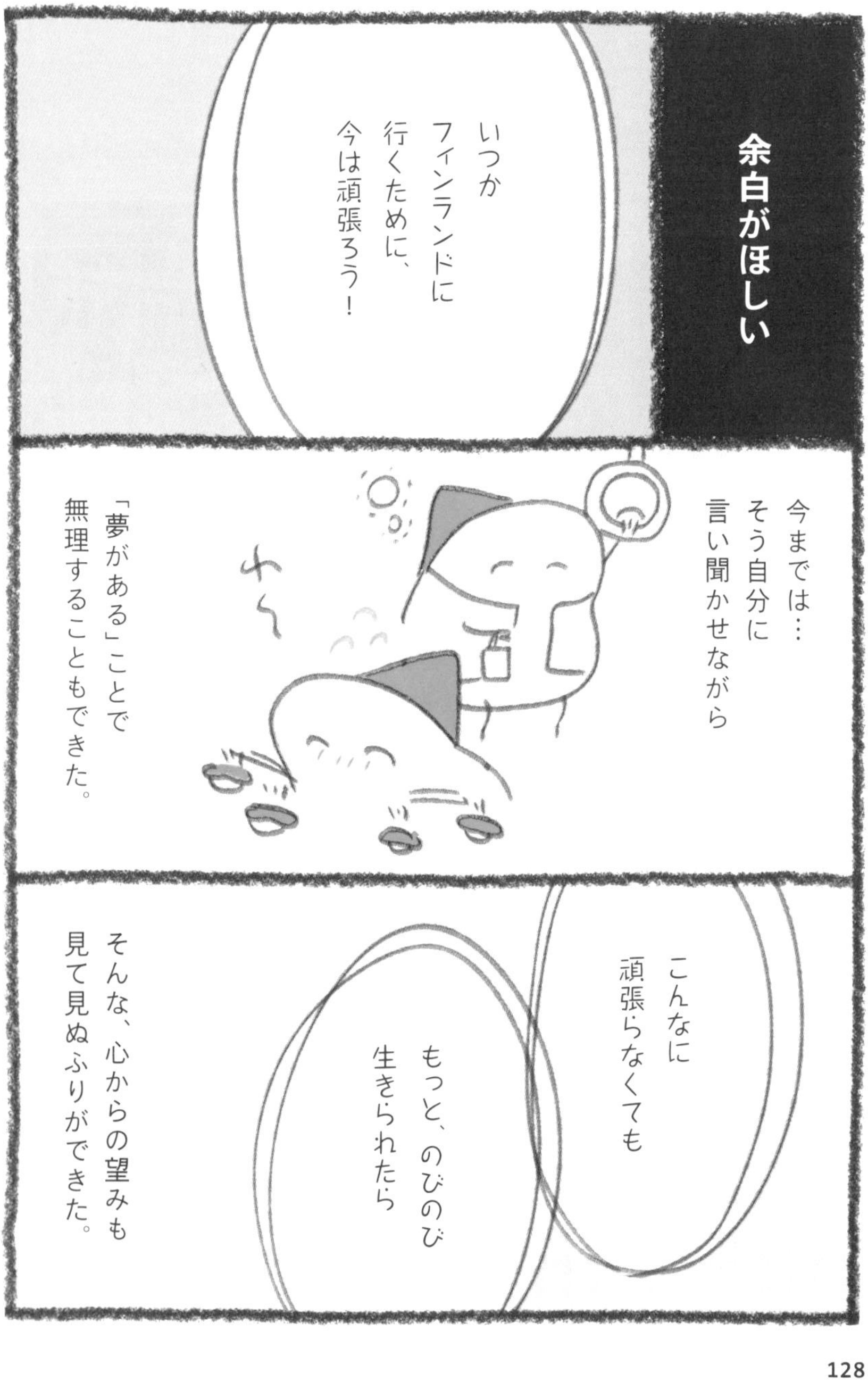
余白がほしい
いつか
フィンランドに
行くために、
今は頑張ろう！
今までは…
そう自分に
言い聞かせながら
「夢がある」ことで
無理することもできた。
こんなに
頑張らなくても
もっと、のびのび
生きられたら
そんな、心からの望みも
見て見ぬふりができた。

夢だった場所に
やってきたら
全く別の景色が
見えると思っていた。
けれど8カ月経って
一番に思うことは
もっと人生に余白が欲しいッ
日本にいる頃と
変わらなかった。
フィンランドの同僚たちが
自分が望むものを
自分で築き上げていくなか
誰にも迷惑かけたくないしっ…
私にできることはこれくらいしかないしっ…
私は自分で「頑張る」ことを
選び続けた。

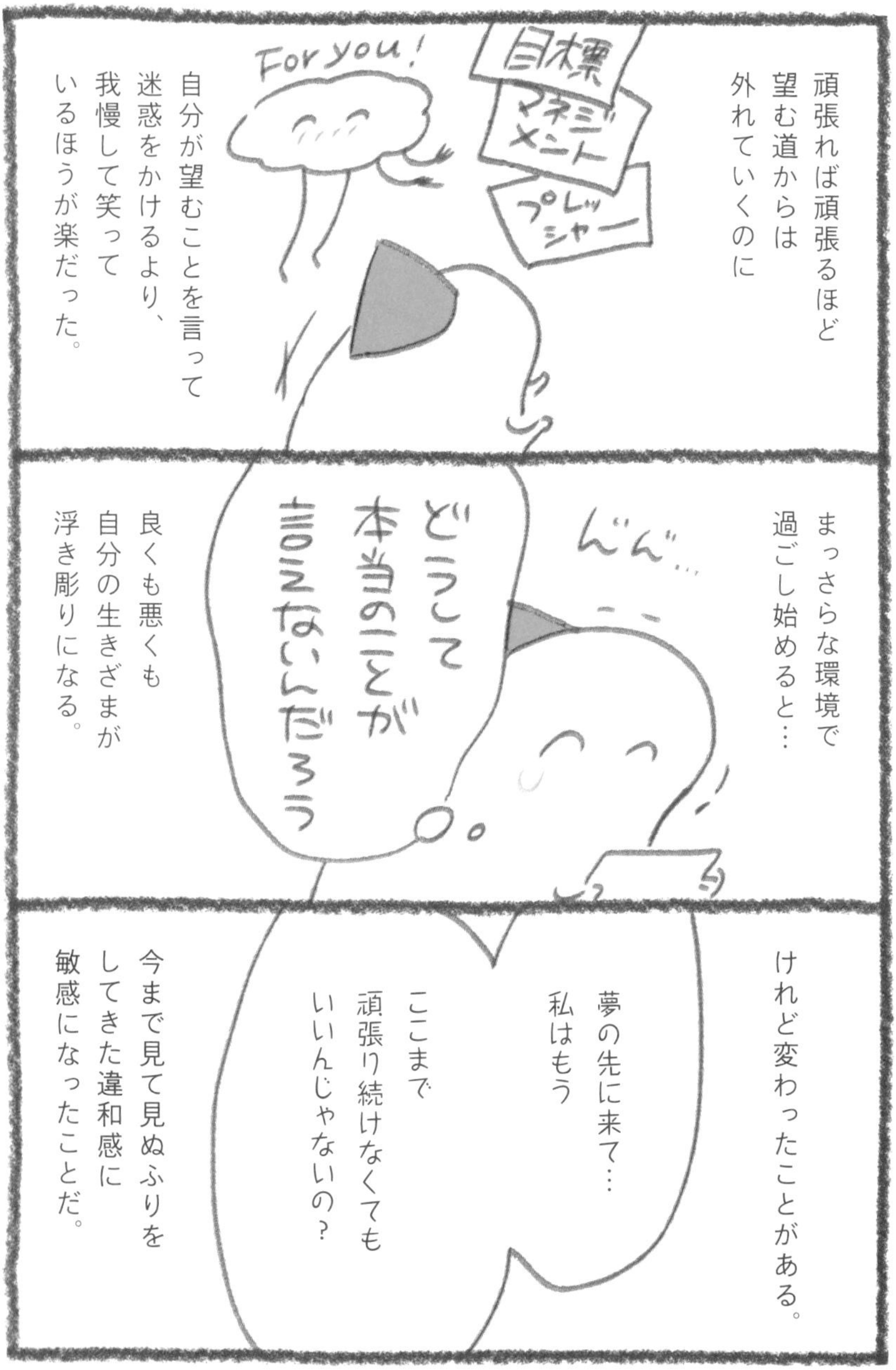
頑張れば頑張るほど
望む道からは
外れていくのに
目標
マネジメント
プレッシャー
For you!
自分が望むことを言って
迷惑をかけるより、
我慢して笑って
いるほうが楽だった。
まっさらな環境で
過ごし始めると…
どうして本当のことが言えないんだろう
良くも悪くも
自分の生きざまが
浮き彫りになる。
けれど変わったことがある。
夢の先に来て…
私はもう
ここまで
頑張り続けなくても
いいんじゃないの?
今まで見て見ぬふりを
してきた違和感に
敏感になったことだ。

自分が望むように
生きるには、勇気がいる。
だけど、夢見ていた
フィンランドでは
みんながそれを
〝自分で〟作り上げて
いることを知った。
夢の場所に来たら
自動的に理想の暮らしが
手に入るわけじゃない。
理想の暮らしは…
自分自身で
作るものだったんだ。
私はまだ
「作り方」を知らない。
だけど、
それに気づけたことは
私のフィンランド1年生
最大の功績だ

もし私が…
誰かを喜ばせたり
印象付けたりする必要がなかったら…
私は人生で何にもっと時間を使い、
何をしなくなるだろう。

あたらしい生き方

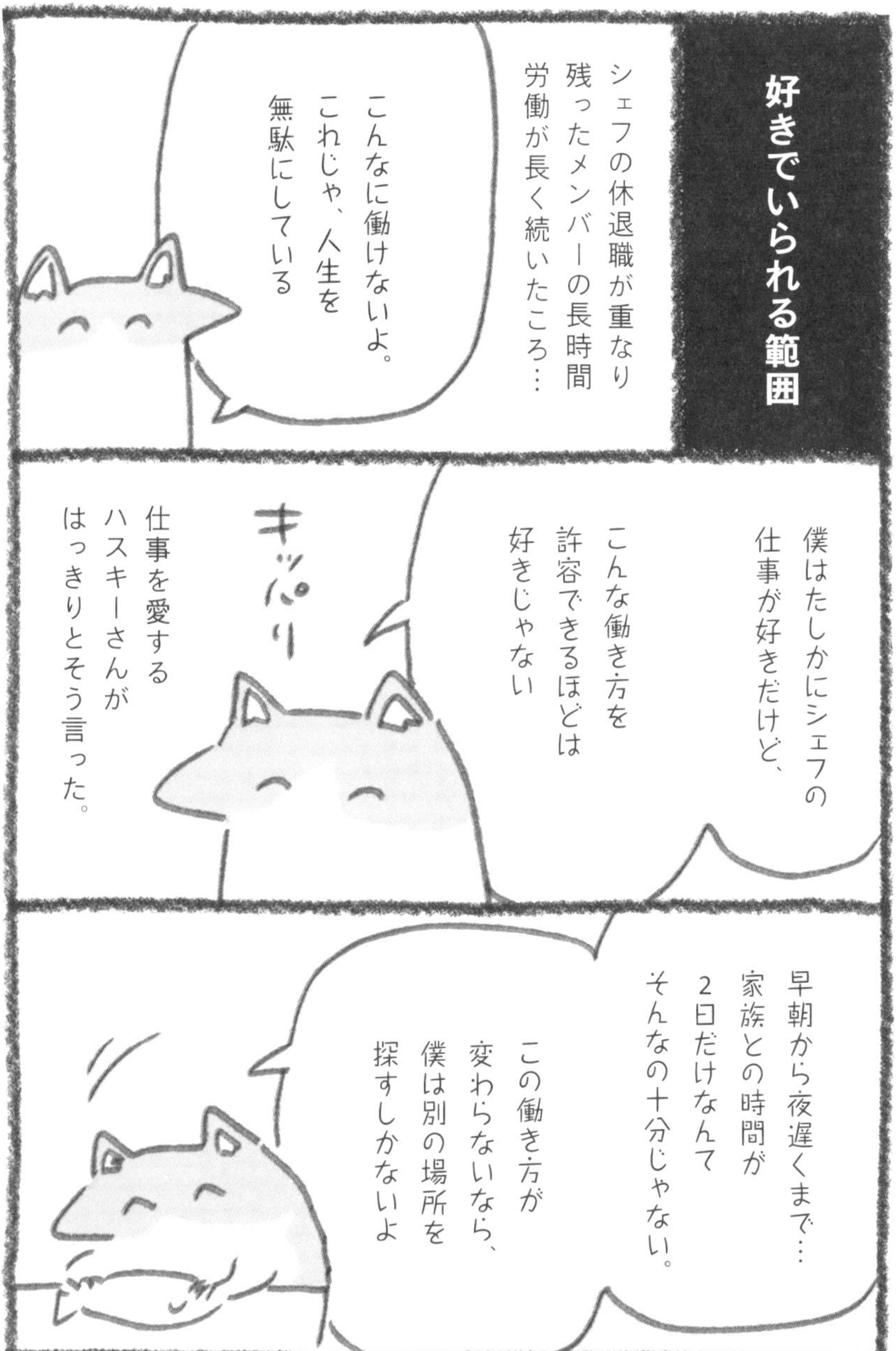
好きでいられる範囲
シェフの休退職が重なり残ったメンバーの長時間労働が長く続いたころ…
こんなに働けないよ。これじゃ、人生を無駄にしている
僕はたしかにシェフの仕事が好きだけど、こんな働き方を許容できるほどは好きじゃない
キッパリ
仕事を愛するハスキーさんがはっきりとそう言った。
早朝から夜遅くまで…家族との時間が2日だけなんてそんなの十分じゃない。
この働き方が変わらないなら、僕は別の場所を探すしかないよ

〝この仕事が好きだけど、
これほどじゃない〟
ワナナナ
その言葉が
とても心に響いた。
〝好きなら、
どこまでもやれるはず〟
〝自分が好きで
やってるんだから〟
そんなふうに
思っていたけれど…
どんなに好きでも
〝好きでいられる
範囲〟があって
わわわ、
その範囲を
超えたら
〝好きだけど、
ここまでじゃない〟
って言っても
よかったんだ…!!
ハスキーさんのひと言は、
私にとって新鮮な学びになった。

今だ。
フィンランドの仲間たちの生き方を学び、
もっと余白がほしいという本心を知った日。
もし私が…誰かを喜ばせたり印象付けたりする必要がなかったら…
私は人生で何にもっと時間を使い、何をしなくなるだろう
…と考えた。
答えはすぐに出た。
きっとここまで働かず…もっと目の前の人や感情を大切にして
めいっぱい気持ちを込めて作品や料理を作りたいッ…！

今だ。
人生には「今だ。」と
感じる瞬間があると思う。
カタタ…
私はそのまま
レストラン宛に
長文のメールをしたためた。
シェフと作家の仕事を
両立するために
働き方を見直したいこと。
けれど、このレストランが
大好きだから、できるだけ
長く働きたいこと。
そのために、勤務日数を
減らしたいこと。

ちょうどレストランでは
新しいシェフを
探し始めたところだった。
きっと今がベストなタイミング…!
正直、見切り発車だ。
カチ
送信…!
けれど「今だ。」の瞬間は、
いつだって必要な
タイミングでやってきて
私の背中を押してくれる。
ああ〜っ
ボスたちがっかりするだろうなァァ
困らせちゃうよォォ〜
ああ〜でももう送っちゃったよォォ〜
送ったそばから…
時には勢いに任せなければ
開けない扉もある…

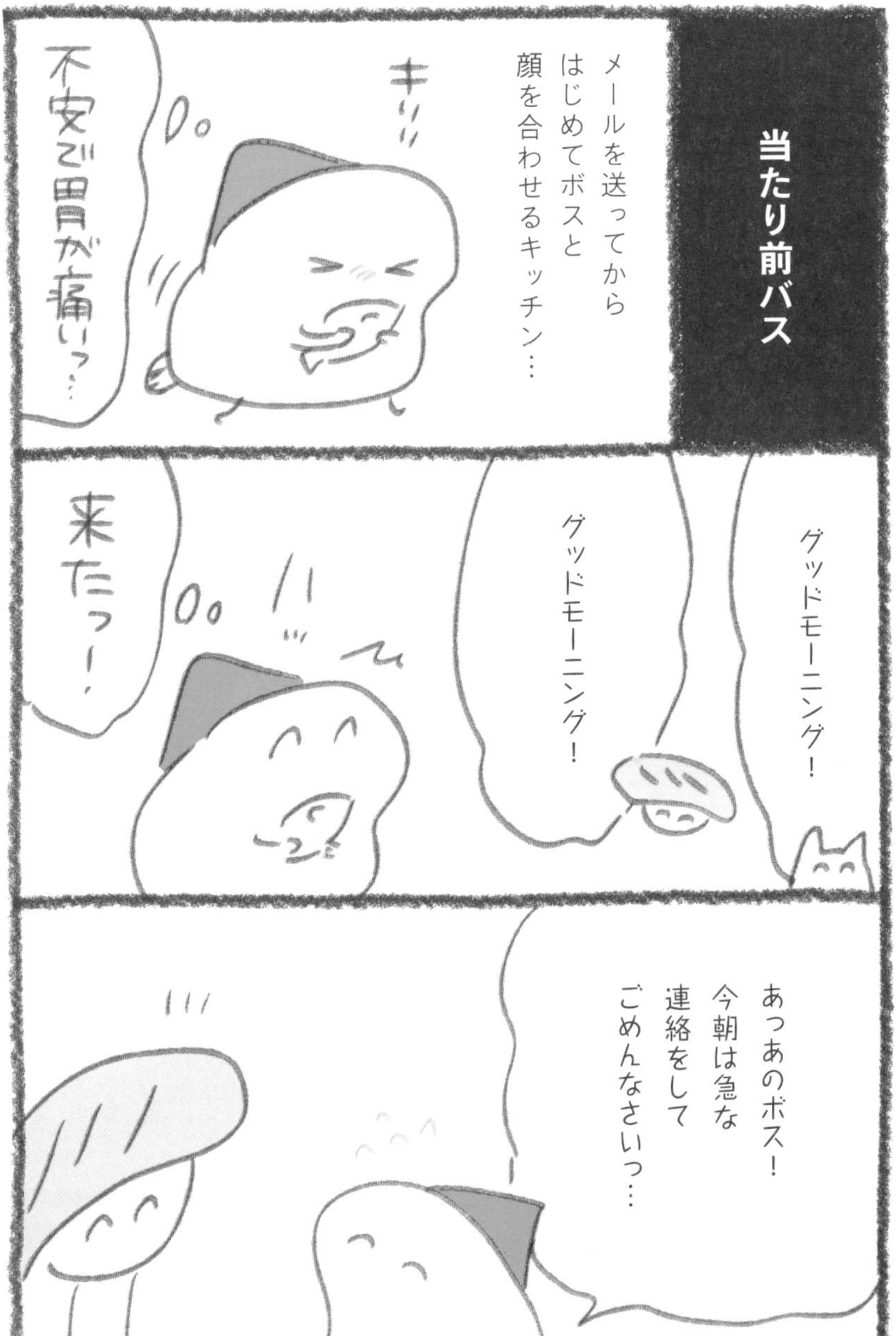
当たり前バス
メールを送ってから はじめてボスと 顔を合わせるキッチン…
キリリ
不安で胃が痛いっ…
グッドモーニング！
グッドモーニング！
来たっー！
あっあのボス！ 今朝は急な 連絡をして ごめんなさいっ…

チカ、とんでもないよ。
心配ない。謝らないで
Don't worry
それに君の作家の仕事が
うまくいくことは
すばらしいことだよ
きっと、すべて
うまくいく。
他のオーナーにも
僕からお願いする
ボス…!!
自分の本心を伝えたら、
怒られたり呆れられたり、
この場所から
見放されてしまうのでは？
と思っていた。
けれど、伝えた先は
思ったよりも穏やかだった。
ありがとう
ございます…!
もちろんさ。
残る道を考えてくれて
僕は嬉しいよ

こうして私は正社員の
スーパーバイザー職から
ここにサインね
はいっ
時給14・5ユーロの
週3パートタイムシェフに
なった。
〝雇用者として週5働く〟
プオー…
長らく続けてきた自分の
中の「当たり前バス」から
飛び降りた瞬間だった。
人の数だけ、
向かう場所も
ペースもあるけれど…
あれ…私が
行きたい
方向って、
こっちだっけ？
こ、こんな
速さで
向かっちゃう
の…⁉
時に、
乗ったバスが
自分の思う方向と
違っていたり、速すぎたり
することもある。

〝当たり前〟だと思っていたことから外れるのは怖い。
停まっては…くれないんですよね…!?
は…速い…!
それはまるで〝走っているバス〟から自分で飛び降りるような怖さで…
けれど…
えいやっ
モフッ
勇気を出して踏み出した先は、思っていたよりも温かかった。
私はもっと、自分に正直に…自分のために生きてもよかったんだ。
プァー…
歩いてみます…
ゆっくりと、自分のペースで。

［キャリアのはなし③］カマス理論

お腹を空かせたカマスを透明な仕切りの入った水槽に入れる。

反対側に小魚を入れると、それを食べようと何度もカマスは板にぶつかる。

けれど次第に「何をやっても無駄だ」と諦めることを学習する…。

この状態を「学習性無力感」と言い、人間にも当てはまる。「どうせ無理だ」という〝思い込み〟から、自分自身の行動を制限してしまうのだ。

① 空腹のカマスと小魚。もちろんカマスは小魚を食べる。

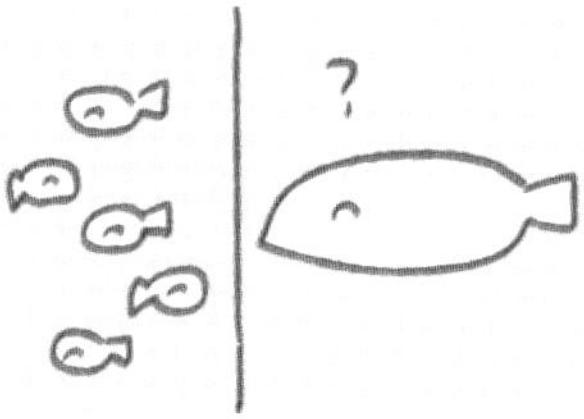

② 透明なガラス板を入れ、カマスと小魚を分ける。

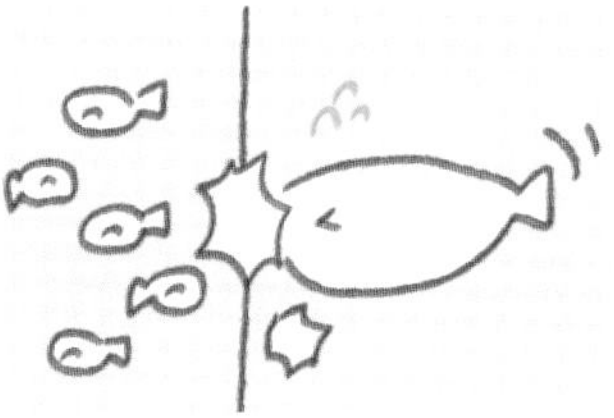

③ カマスは小魚を食べようとするが、何度も板にぶつかる。

④ しばらくしてガラス板を外す。目の前に小魚がきても、カマスは一切小魚を食べなくなる。

けれど、このカマス理論には続きがある。

この思い込みカマスを救う方法についてだ。それは、別のカマスを水槽に入れること。思い込みを持たないカマスは、小魚をパクパクと食べていく。

その姿を見て「そうか、食べられるんだ！」と気づいた思い込みカマスも、それに続いていく……という話だ。

人の思い込みは、一度定着すると変えるのは簡単ではない。

けれど時に、このカマス理論を思い出して「今私が無理だと思っていることは、本当にそうなの？」「私が思い込んでいるだけじゃない？」と自分に問いかけてみる。できている人の姿を見て、「私だってできるかもしれない」と選択肢を増やしてみる。

私にとってのフィンランド1年目は、まさに「自分自身が思い込みカマス」だったことを自覚した年でもあった。

そんな私の隣を、自由に自分らしく泳いでいく同僚たち。彼らの姿が、私の思い込みを少しずつ和らげてくれたのだと思う。

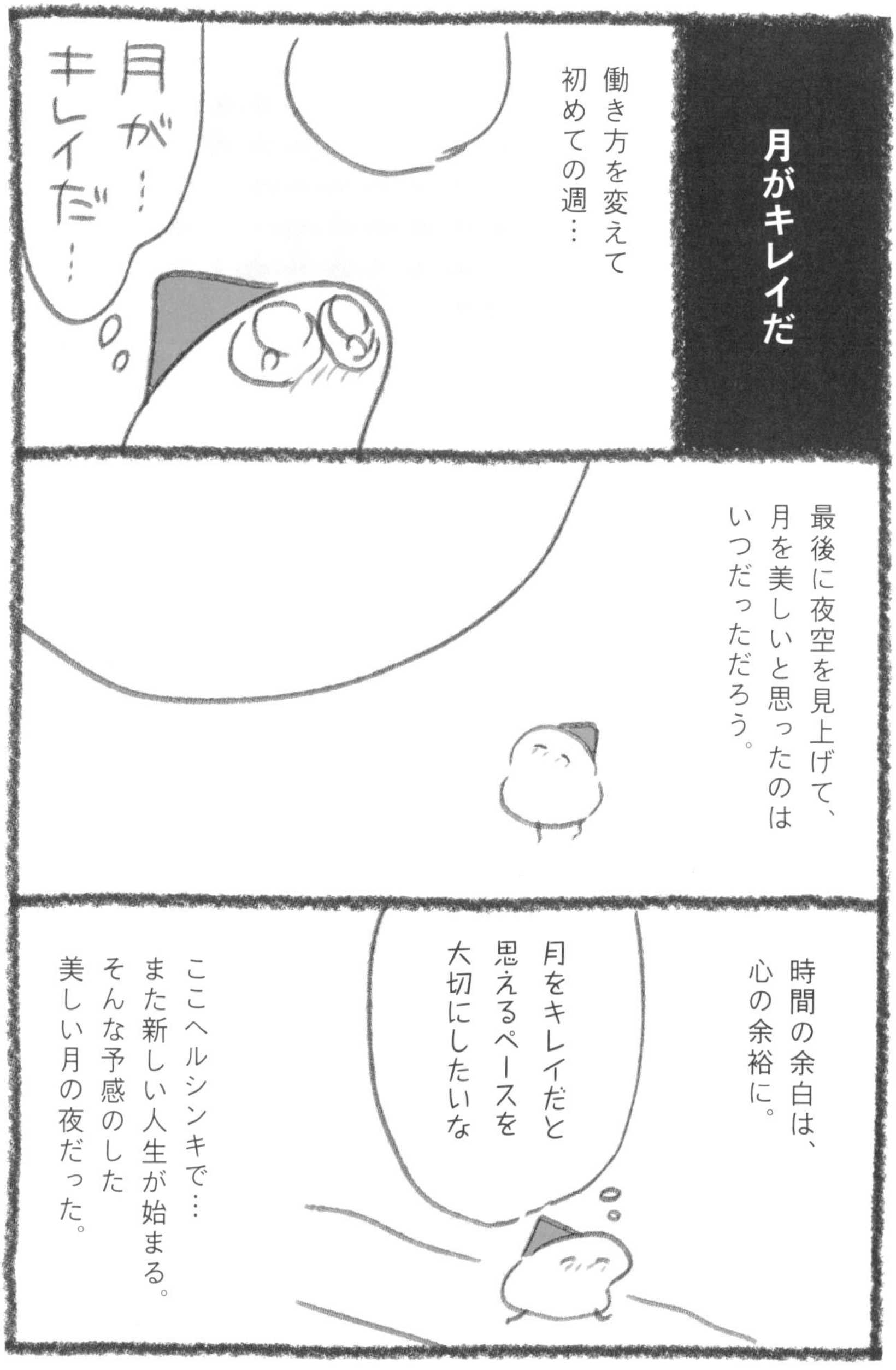
月がキレイだ
働き方を変えて
初めての週…
月が…
キレイだ…
最後に夜空を見上げて、
月を美しいと思ったのは
いつだっただろう。
時間の余白は、
心の余裕に。
月をキレイだと
思えるペースを
大切にしたいな
ここヘルシンキで…
また新しい人生が始まる。
そんな予感のした
美しい月の夜だった。

It is what it is.
年が明けてしばらく経った頃…
Hello～!!
退職したクジャクさんがレストランにやってきた！
わ～!!! クジャクさん!!!
包丁取りに来たのよ～ 元気にしてた？
髪の毛がオレンジになっていて、とてもクジャクさんらしかった
クジャクさんの腕にはタトゥーが入っている。
"仕方ない"
It is what it is.
ボスもよく使う言葉だ。

どうして
この言葉にしたの？
と聞くと
キッチンで働いてると、
みんなあまりにも
料理に真剣に
なりすぎるでしょ
いろんな理不尽も
変化もある業界で、
一喜一憂して
メンタル使っちゃう。
でも…結局これは
ただの料理!!

It is what it is!
成るようにしかならないのよ
そんな言葉を身にまとって
拍子抜けするほどいつも通りの姿で現れたクジャクさんを…
か…かっこい〜…!
やっぱり私は憧れの目で見てしまうのだった

ミッションインポッシブル
ある年末、最少人数でディナー営業をすることに。
通常10人体制のところを…
5人で…!?
シフト表
ババーン
こんなのッ…
ミッションイン
ポッシブルだよッ!!!!
超大声→
ダッダッダッダッダー
ダッダッダッダッダー
ミッションインポッシブルのテーマ
HAHAHA
スピーカー
これ聴かせるためのフリだったのか…!
どんな時もユーモアの絶えないキッチンだった

ロシア人シェフのサプライズ
ある時、ロシア人シェフと話していると
僕のお母さんが、どうしてもこれが欲しいらしくて…!!
マヌルネコのダジャレTシャツ!!
MANUL
日本でしか買えないTシャツをプレゼント。
届いたよ!
わ〜ありがとうチカ!!
すると後日…
僕のお母さんからお礼にロシアのお菓子だよ!
Камчатский мармелад
わ〜かわいい!!

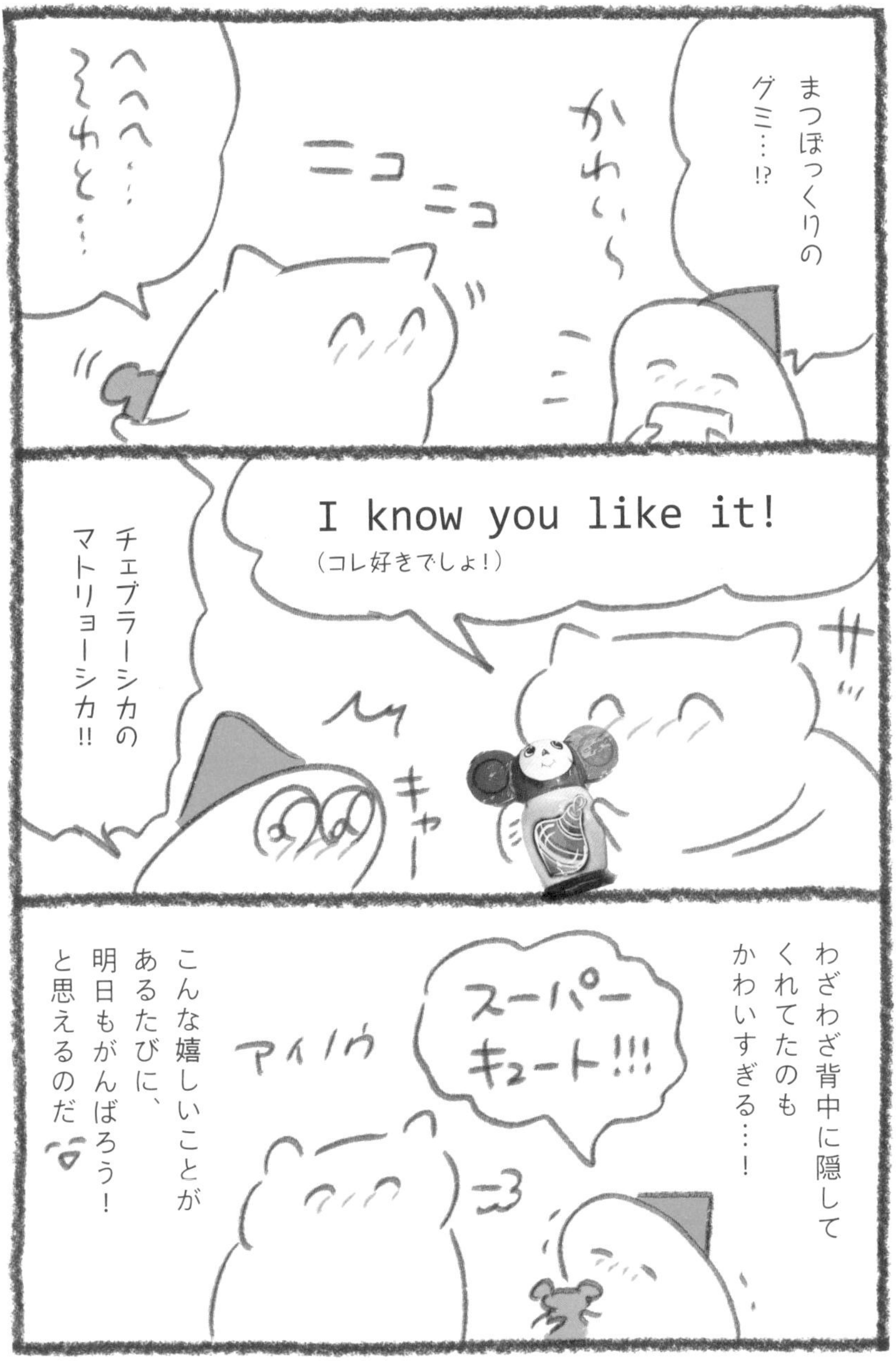
まつぼっくりのグミ…!?
かわいい～
ニコニコ
へへへ…
I know you like it!
（コレ好きでしょ！）
チェブラーシカのマトリョーシカ!!
キャー
わざわざ背中に隠してくれてたのもかわいすぎる…！
スーパーキュート!!!
アイノウ
こんな嬉しいことがあるたびに、明日もがんばろう！と思えるのだ

特別なチップ
ある日来店したお客様。
ファッティツナです
（大トロ）
おっ…おいしすぎるッ
わななな
彼、今日誕生日なんですよ
こんなの食べたことない…
うま…
わ、そうなんですね！おめでとうございます！
たまたまバースデーであることを知り…
こちら、私たちからのプレゼントです！
ミミッ!!
よかったな！
心ばかりの小さなケーキでお祝い

あのっ…あまりに嬉しいので ここに日本語でサインと 誕生日おめでとうって 書いていただけますか…？
記念にしますッ
本日のコース お品書き ↓
そんなに!?
もちろん いーですよッ
僕ら幼馴染で、誕生日は毎年 おいしいものを 食べて祝うんです
来年は僕が 君をここに 連れてくる！
お待ち していますね
ほっこり…
ギュ
そして帰り際
あのっ、これチカに！
最高の夜でしたっ…!!
!?
Kiitos!
…と、チップを直接 手渡してくれた。

人生で初めてチップをもらっちゃった…

わ～

お客さん嬉しそうだったね
フィンランドでは日本同様チップの文化はないけれど、素敵なサービスを受けた時にはチップを払うこともある。

（会計の10％が相場）

特別だ…

だからフィンランドでチップをもらうと余計に嬉しい。

ちなみに私たちのお店ではもらった本人のものになるのではなく、一度すべて経理担当のもとに集められ…

今日いただいたチップです

月に一度、シェフ＆ホールスタッフみんなに分けて配られる仕組みだ。

サービス、料理を作ったのは〝接客担当〟だけでなく、ここにいる全員！

だからチップもみんなで分けるのよ
まさに・・！

金額は出勤時間に連動して計算され、一人ずつ手渡しされる。

はい、チカの分！

Chika
ありがとうございますッ
封筒に入っててお年玉みたい…

ちなみにチップも課税対象だ。

〝チップ配分式〟はフィンランドでメジャーなのか、お客様もそれを知っていたりする。

あなたにチップを渡したいんだけど、できないのよね…？

I know…

その日のお客様は
どうしてもチカにチップをあげたいッ!!!
と思ってくださったらしく…
翌日出勤すると
昨日チカが帰ったあと、カウンターのお客様が「必ずチカに渡して！」ってチップ置いてったよ。
To Chika♡
名前がペンで書かれているッ!!
一生使えないかも…
今までいただいたチップも、なんだか特別で今も手を付けないで大切にとってある

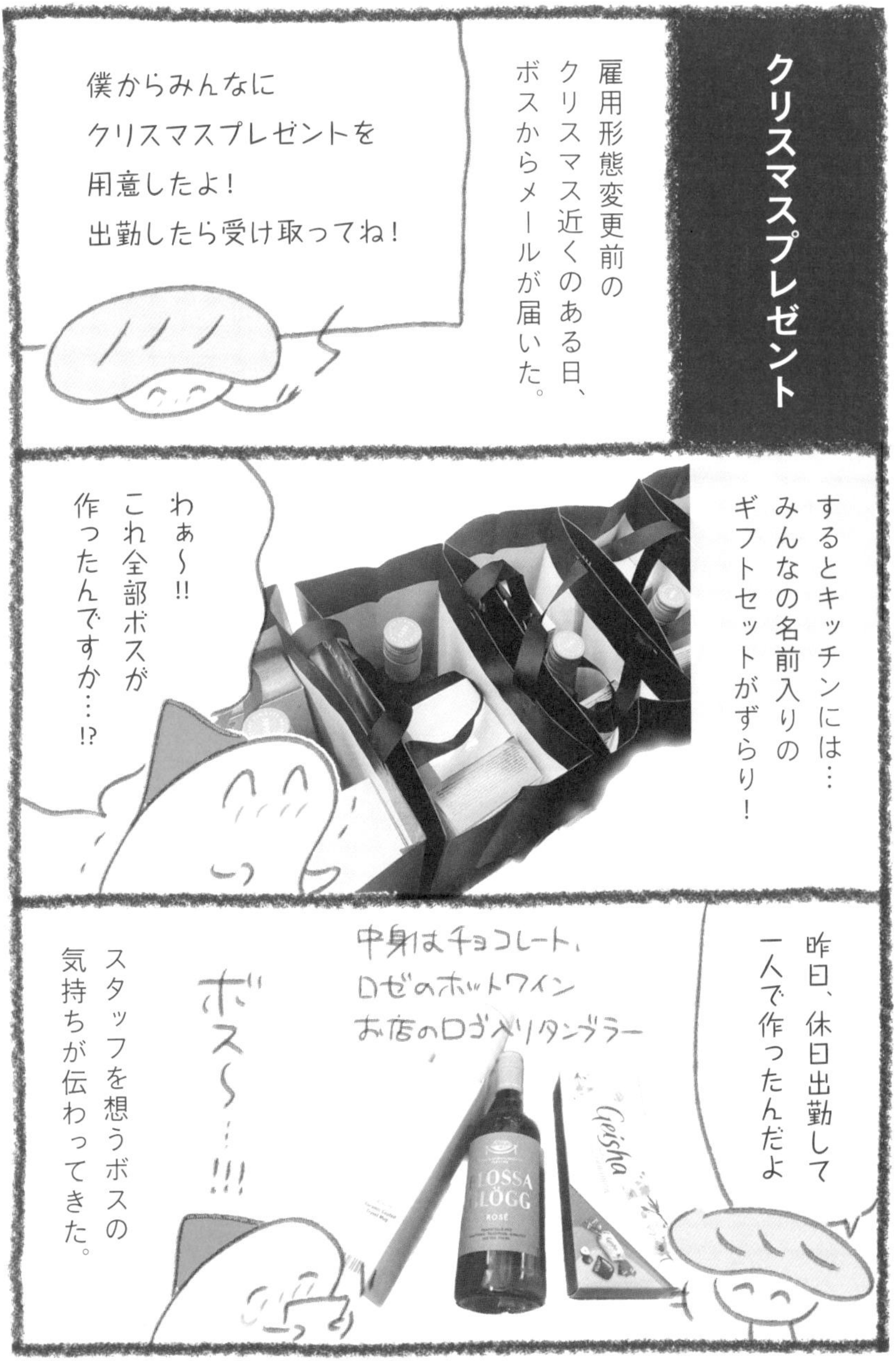
クリスマスプレゼント
雇用形態変更前の
クリスマス近くのある日、
ボスからメールが届いた。
僕からみんなに
クリスマスプレゼントを
用意したよ！
出勤したら受け取ってね！
するとキッチンには…
みんなの名前入りの
ギフトセットがずらり！
わぁ〜!!
これ全部ボスが
作ったんですか…!?
昨日、休日出勤して
一人で作ったんだよ
中身はチョコレート、
ロゼのホットワイン
お店のロゴ入りタンブラー
ボス〜…!!!
スタッフを想うボスの
気持ちが伝わってきた。

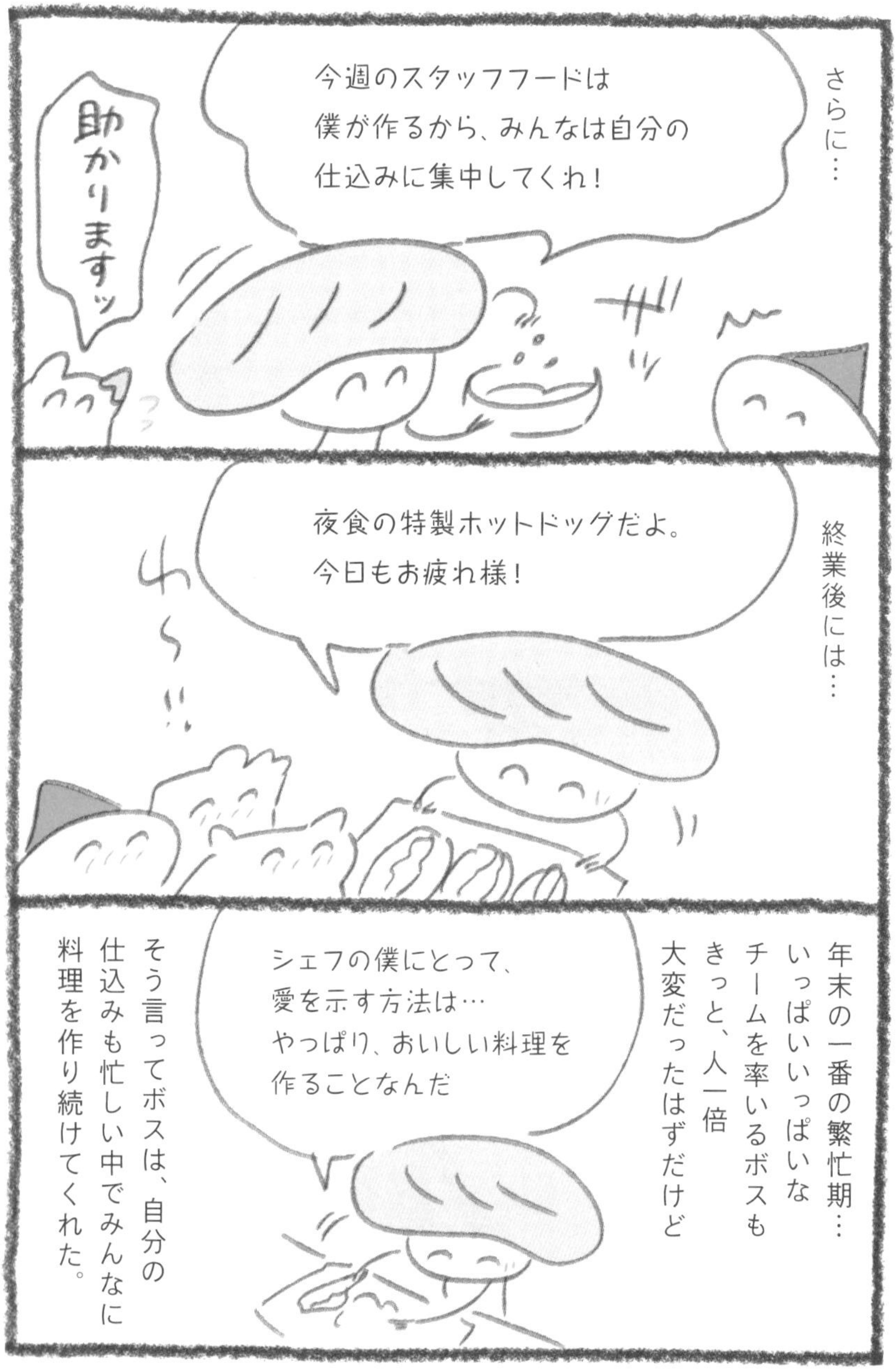
さらに…
今週のスタッフフードは僕が作るから、みんなは自分の仕込みに集中してくれ！
助かりますッ
終業後には…
夜食の特製ホットドッグだよ。今日もお疲れ様！
わ〜!!
年末の一番の繁忙期…いっぱいいっぱいなチームを率いるボスもきっと、人一倍大変だったはずだけど
シェフの僕にとって、愛を示す方法は…やっぱり、おいしい料理を作ることなんだ
そう言ってボスは、自分の仕込みも忙しい中でみんなに料理を作り続けてくれた。

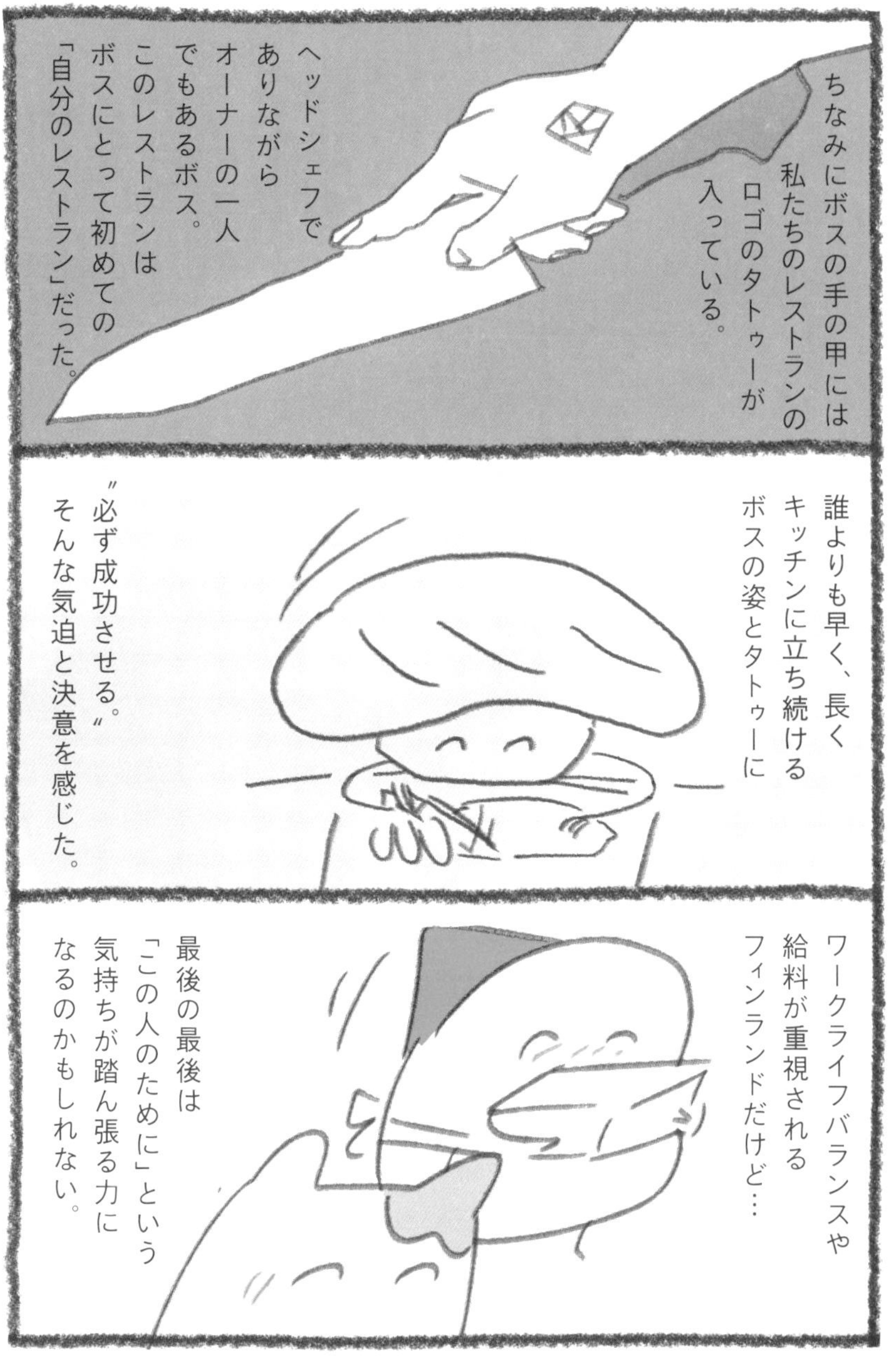
ちなみにボスの手の甲には
私たちのレストランの
ロゴのタトゥーが
入っている。
ヘッドシェフで
ありながら
オーナーの一人
でもあるボス。
このレストランは
ボスにとって初めての
「自分のレストラン」だった。
誰よりも早く、長く
キッチンに立ち続ける
ボスの姿とタトゥーに
〝必ず成功させる。〟
そんな気迫と決意を感じた。
ワークライフバランスや
給料が重視される
フィンランドだけど…
最後の最後は
「この人のために」という
気持ちが踏ん張る力に
なるのかもしれない。

大晦日
満身創痍で終えた
超満員の大晦日の営業。
Kiitos paivästa!
おつかれさま
よいお年を!
Hyvää uuttavuotta!
あと数十分で花火の
カウントダウンか…
今までならばきっと
大聖堂前で
見ていたけれど…
一目散に家を
目指すことにした。
すると…
ピコン
23:55から、電話しない?
疲れてるだろうから、少しだけ。
そんな穏やかな
お誘いがあった。

年越し5分前に
電話を繋いで
少しおしゃべりしたら、
10秒前からカウントダウン。
ハッピーニューイヤー！
その瞬間から、
窓の外では絶え間なく
花火の音が鳴り響いた。
自宅アパートで花火の音を
聴いて過ごす0時過ぎ。
そんな穏やかで何気ない
年越しが、私の今の暮らしが
ヘルシンキにあることを
実感させてくれた。

34歳寿司シェフ…
突如フィンランドで
失業者になった瞬間だった。

その日は
突然に

新メニュー
超満員の続いた年末年始をすぎると、レストランはとても静かになった。
今日予約少ないね
年明けはどこも厳しいみたいだね
スーパーバイザーのみんな、会議するから集まってくれ。チカも可能なら参加してくれる？
はいっ！
知っての通り、年明けから2月はレストラン全体が苦しい時期だ
先週ヘルシンキの有名な老舗レストランが閉店した。これは決して他人事ではないと思ってる

2022年のフィンランドは、インフレの影響で物価が上昇し、
高くなってる…！
人々は、まず外食から出費を削るようになった。
その結果ヘルシンキではレストランが立て続けに倒産していた。
この状況があと3カ月続けば、僕たちも同じ道をたどる。これが今のリアルだ
誰もクビにしたくないし、全員が必要だ。だから少しでもできることを協力し合おう
消費が冷え込む一方で海外からの食料輸入費は上がり続けている。ガス代も去年の3倍だ
シビアな話だけど、わずかなコストも見直していく。皿洗いのアルバイトも、しばらくは雇えなくなるだろう

僕は次の新メニューに
魂を込めている
来週から始まる
新メニューは、一層
みんなでいいものにしよう
そんな話がボスからあり…
ガス代のことも
レストランの状況も、
私なにも知らなかった…
雇用形態とか
関係なく…
このレストランの
ためにできること…
私も考えよう！
こうして、シェフみんなが
新メニューのアイディアを
持ち寄って試作が始まった。
チカ、次のメニューに
富士山をイメージした
デザートを考えて
いるんだけど…
カキ
カキ
こんなの
富士山のある
エリアで作られてる
フルーツって何かな？

梨はどうですか⁉
梨‼
それだ‼
ボスの作る料理には、一つひとつにいつも〝ストーリー〟が込められていて
ボスがメニューを作る過程をみんなに見せてくれるので、とても勉強になります…‼
こうやってメニューは作っていくんだって…
君たちみんなのアイディアのおかげさ
こうして、シェフ全員の想いがこもった新メニューができた。
ボスは年始に、こんなメッセージを残した。
“最高のメンバーとオープンしたレストラン。
この1年で、シェフとして、
そしてリーダーとしての自分自身の強みと弱みが
ようやくわかってきた気がする。
いつも支えてくれてありがとう。
みんなで最高の2023年にしよう！”

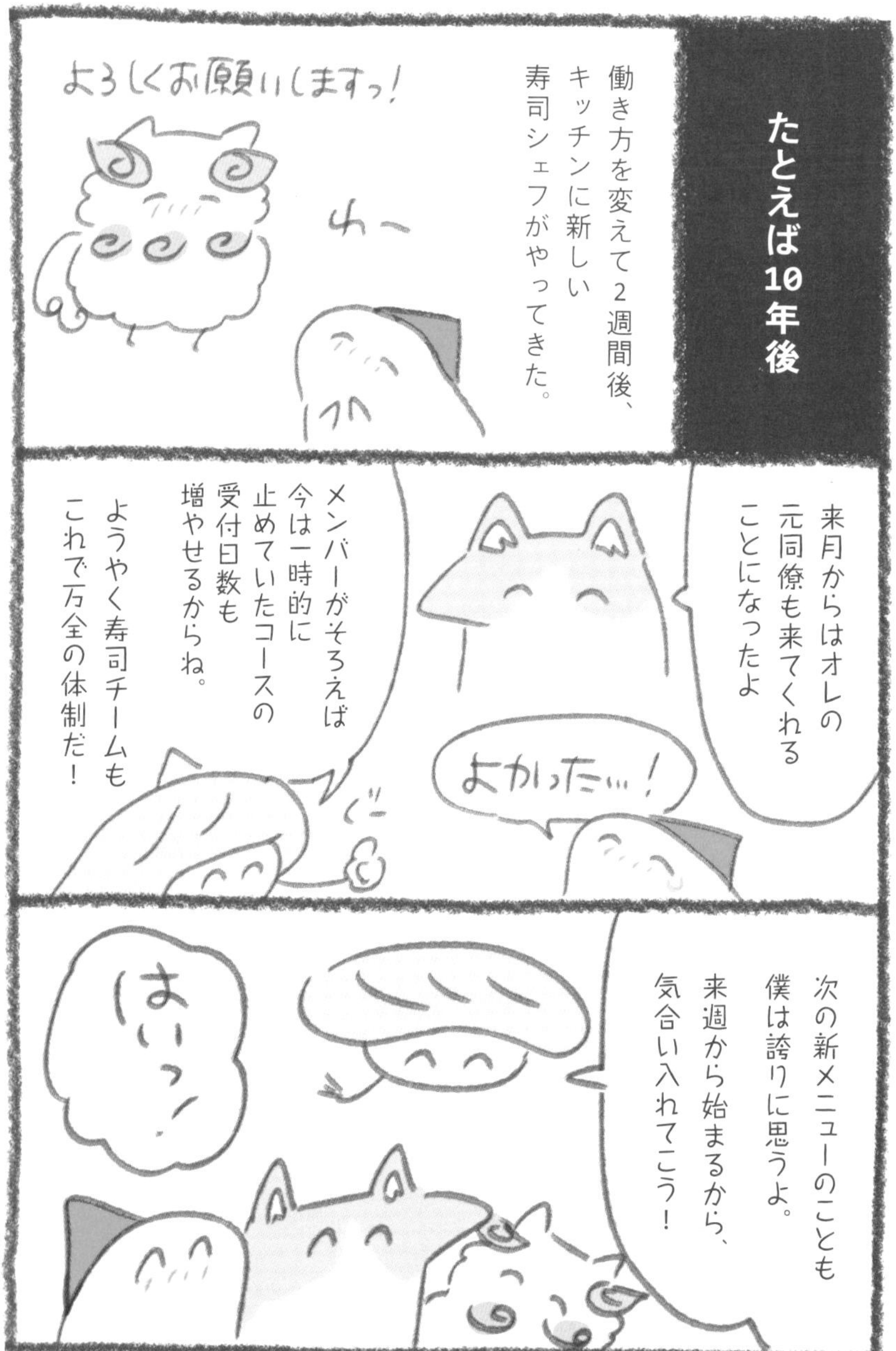
たとえば10年後
働き方を変えて2週間後、キッチンに新しい寿司シェフがやってきた。
よろしくお願いしますっ！
わ〜
来月からはオレの元同僚も来てくれることになったよ
メンバーがそろえば今は一時的に止めていたコースの受付日数も増やせるからね。
ようやく寿司チームもこれで万全の体制だ！
よかった…！
ぐっ
次の新メニューのことも僕は誇りに思うよ。来週から始まるから、気合い入れてこう！
はいっ！

たとえば10年後…
今より出勤日数が
少なくなっても、
このままここで
長く働いていたら…
あの人だれ？
あっ、チカさん！
オープンの時からいる
ベテランさんで、
時々ヘルプに来てるんだ。
わからないことは
なんでも
聞けばいいよ！
そうなんですね！
…なんて
いわれる
パートさんに
なりたいな
想像がリアル…
ふふ
そんな妄想をして
未来が楽しみになった、
新メンバー合流の日だった。

美しい日
1年のなかには、家で家族と過ごすイベントもあれば
レストランで大切な人と過ごしたい日もある。
明日のレストラン、予約でいっぱいだ！どんなお客様が来るのかな？
予約
仕込み今から始めなきゃな
当日…
ロマンチック
愛が見える…！

キッチンのみんなは
てんやわんやだけど…
お客さん…
すごく幸せそう…
だな
愛に溢れる美しい店内に、
なんだかとても
幸せな気持ちになった。
レストランでは、
明日からの新メニューに
向けて仕込みも佳境！
うわ！、
すごい量の
食材ですね！
ヒラメに
サバ！
明日からの
新メニュー用の
食材たちです
仕込んじゃいましょう！
営業が終わったのは
深夜0時過ぎ。
ピコン
NEW
メッセージ
そんな夜遅くの
タイミングに、
一通のメールが届いていた。

明日の朝9時から、
緊急のWEBミーティングを開催します。
できるだけみなさん参加してください。
リンクは以下となります。
****
今までWEBミーティングって開催したことなかったよね？
何だろうね
珍しい…
9時か…タイマーセットしよ
こうして不思議に思いながら眠りについた。

その日は突然に
朝9時…
眠い目をこすって
WEBミーティングに
参加した。
ベッドから…
起きなよ…
そして始まった会議。
重たい空気の中で、
オーナーが切り出した。
…みなさんに
悲しいお知らせがあります。
私たちは…昨日をもって
営業を停止します。
昨日の美しい一日が、
私たちの最後の
営業日でした。

ガバッ
!?

ゴ…でした!?!

昨日で…解散!?

インフレと原材料の高騰のため…努力を続けましたが、これ以上の営業はできないと判断し、事業をたたむことになりました。

これから、顧客や取引先にも連絡をしていきます。

本当に、申し訳ない
すべて、僕たち経営者の責任だ

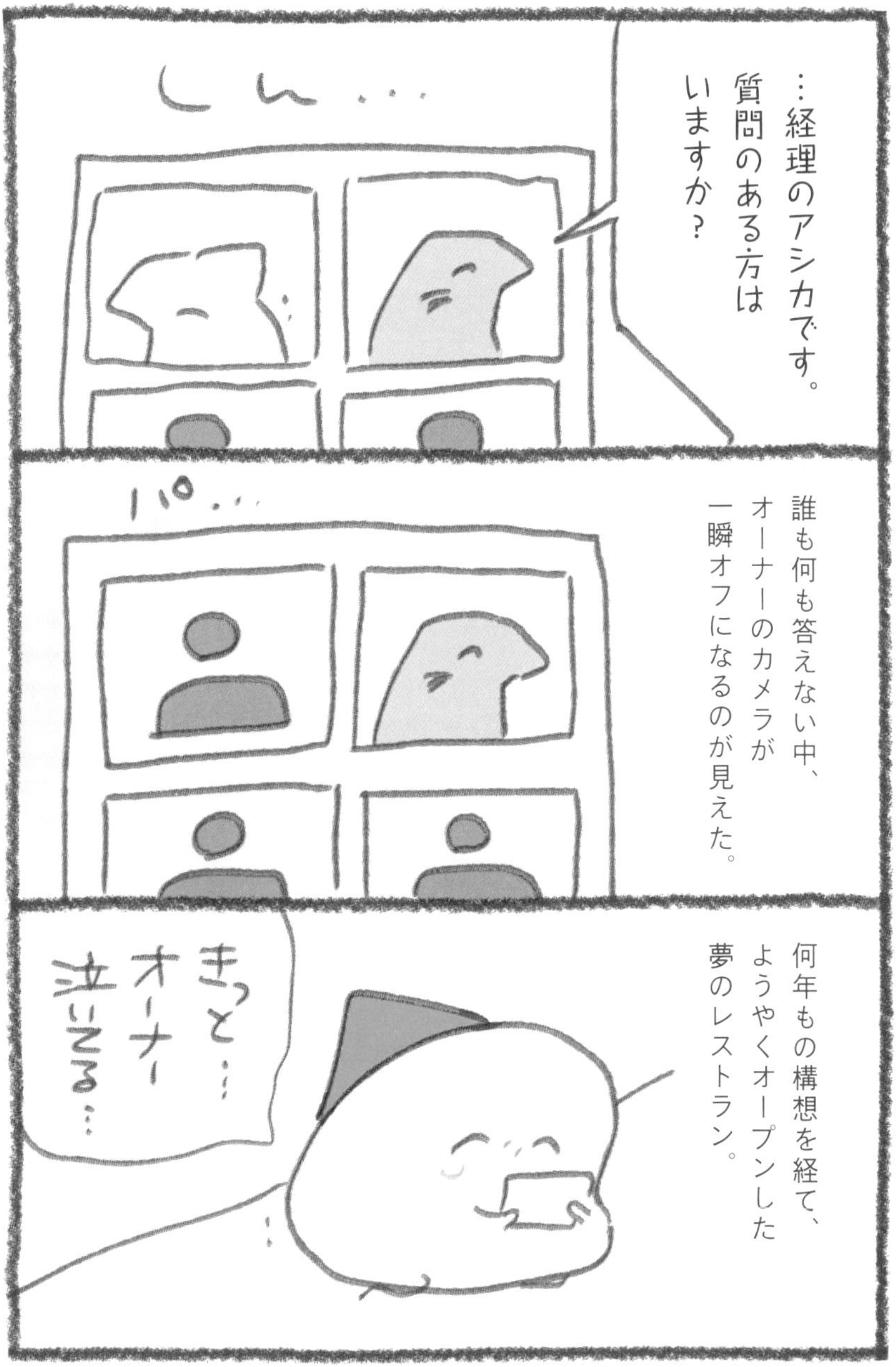

しん…
…経理のアシカです。質問のある方はいますか？
パ…
誰も何も答えない中、オーナーのカメラが一瞬オフになるのが見えた。
何年もの構想を経て、ようやくオープンした夢のレストラン。
きっと…オーナー泣いてる…

今後のことは、弁護士から個別に連絡が入ります。
本当に…終わっちゃうんだ…。
……。
ぽつん
今日…仕事…行かなくていいってこと…？
ていうか私…
これからどうすればいいの!?
34歳寿司シェフ…突如フィンランドで失業した瞬間だった。

倒産当日

WEBミーティングが終わった後、私はベッドの上で途方に暮れていた。

「これで本当に…終わりってこと…?」

まさかこんなにも突然に、終わりの日が来るなんて思わなかった。

どうやらミーティング終了直後、会社からプレスリリースが出たらしく「チカ、知らせを見たよ、大丈夫!?」と次々と友達から連絡が入った。

最初は心配させまいと「大丈夫だよ」と返信をしていたけれど、親しい人たちと話すうちにだんだんと「責任感じるよ…」と本音が漏れた。

大きなレストランで、たった一人のシェフの力は小さいけれど、それでも様々な可能性を考えて自責の念でいっぱいになった。

そんな気持ちから漏れた、たった一言の弱音に届いた返信。

「君を責める要素が見つからない。ベストを尽くしたし、バーンアウト直前までやり切った。これはコストとインフレの影響で、レストラン経営は難しく、倒産も珍しいことじゃない。」さらに「今日休みを取ったから、今から会おう」とカフェにまで誘い出してくれた。

そしてカフェのテーブルに置かれたコップを持ち上げて友達は言った。

「コップの中が空でも…〝ここからがスタートだ〟と思う見方が好きなんだ。チカも、これからの可能性を見逃さないで。きっと、もっと良くなるよ」そんな言葉に、これからの未来が本当に自由であることを実感した。

帰宅後、オーナーに連絡をした。このレストランの開店のために海外から雇ったシェフのうち、最後まで残ったのは私だけ。もしオーナーが私の人生を変えたことに責任を感じていたら…と心配で、「ここで働けたことは私にとって本当に幸運な出来事で、素晴らしい経験と出会いに心から感謝しています」と伝えた。

人生で起こること全てに意味がある。きっと、今日のこの日にも。

驚きで始まった一日の終わり…優しい人たちのおかげで、私はそう信じてみようと思えたのだ。

レストランの限界
翌日、レストランの片付けを手伝いに行くとスイーツ部門のリーダーのチョコネコさんがいた。
びっくりしたね…
ほんとだね、気分大丈夫？
チカ、もしヘルシンキでシェフを続けるなら…仕事を探す時に一番大切なのは「人」だよ
どんなにいい料理を出していても、作る人が悪ければ意味ないからね
…私、フィンランドではこのレストランでしか経験がないけど…とても素敵な人たちと働けたと思ってる
今までいろんなレストランで働いてきたチョコネコさんから見て…このレストランの人たちはどうだった？

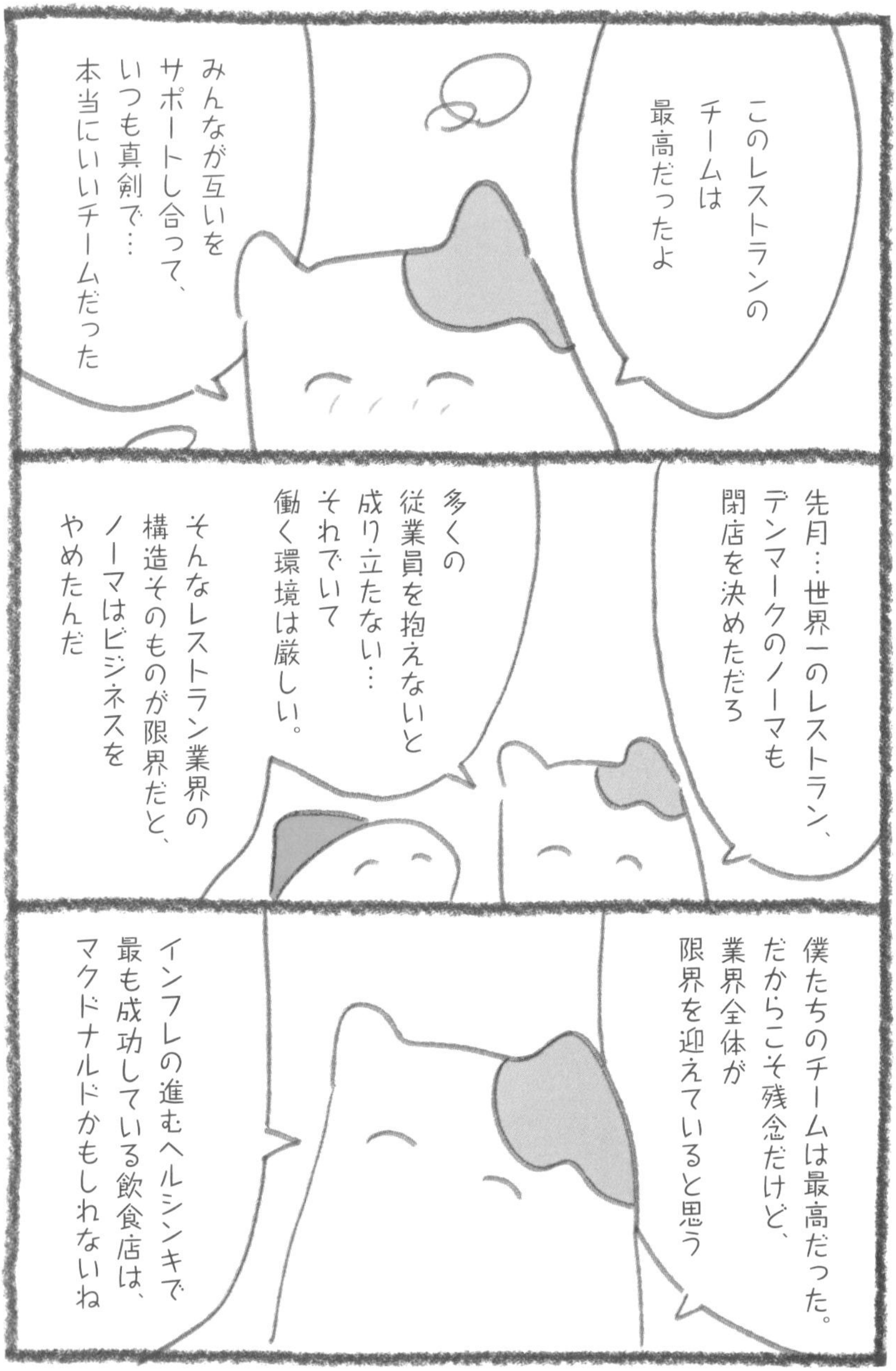
このレストランのチームは最高だったよ
みんなが互いをサポートし合って、いつも真剣で…本当にいいチームだった
先月…世界一のレストラン、デンマークのノーマも閉店を決めただろ
多くの従業員を抱えないと成り立たない…それでいて働く環境は厳しい。
そんなレストラン業界の構造そのものが限界だと、ノーマはビジネスをやめたんだ
僕たちのチームは最高だった。だからこそ残念だけど、業界全体が限界を迎えていると思う
インフレの進むヘルシンキで最も成功している飲食店は、マクドナルドかもしれないね

最後の出勤
片付けの途中、みんなでテーブルを囲んで最後のまかないを食べた。
みんなこれからどうするの？
…正直まだわからない。コロナでレイオフになって、今回はインフレで失業
ゆぎん…
さすがに二度経験したし、もうこの業界から抜けることも考えるかもしれない
私も、しばらく働かずに考えてみる。失業手当もあるしね
かしこい人はコロナの時にこの業界を抜けてたのよね。私も考えなきゃな…
フィンランドでは、コロナ禍で飲食業から一万人が異業種に転職したといわれている。

私は…計画はないし、計画は必要ない！
私の人生に、計画なんていらない！
…それに正直これは、最高の仕事の辞め方かもしれない
自分のせいじゃなくて、不可抗力の倒産！
失業手当も出て、しばらくはそれで生活できるし…
次の転職活動でも「倒産しました」って説明もラクでしょ
これは言えてるね

昨日は家で一人でどうしようかと途方に暮れたけど…
動揺することなく次に備えるみんなの姿に、なんだか気持ちがラクになった。
ボスは…これからどうするんですか？
今はまだわからない。全然違うことをやるかもしれないけれど…
It is what it is!
きっと大丈夫、すべてうまくいくさ。
こうして…私の最後のレストラン出勤が終わった。

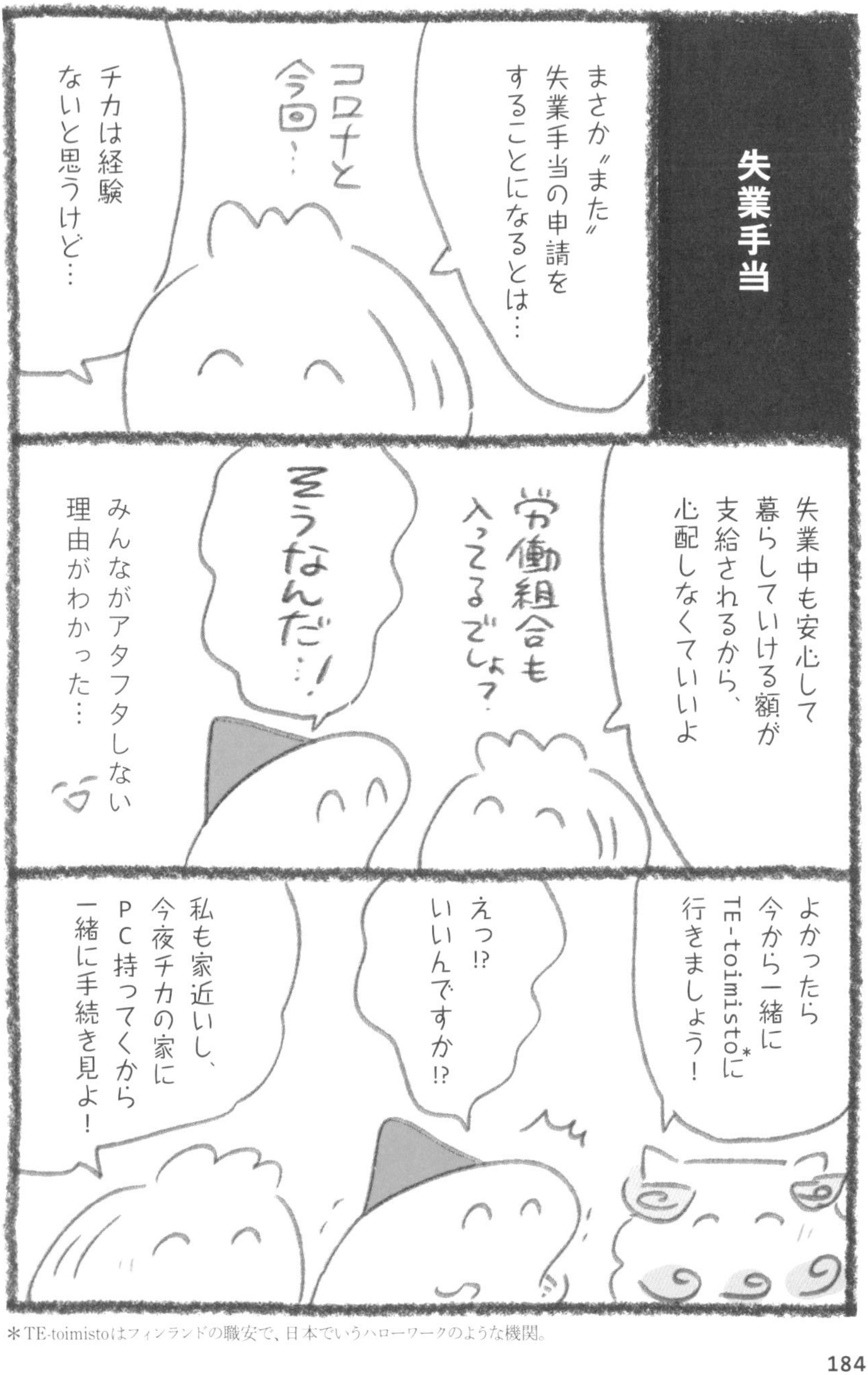

＊TE-toimistoはフィンランドの職安で、日本でいうハローワークのような機関。

こうして最終出勤日の夜は、私のアパートで同僚たちと鍋を囲んだ。
私… 家に同僚 招いたの 初めて…
うれしい…
そうだったの!?
倒産後に…笑
でも、なんで みんなここまで 優しくして くれるの…!
そりゃ… 私たち、もうここに 住んで長いし…
困った時は、同じように 誰かが助けてくれたのよ
それにチカは何でも 一人でがんばりすぎ!!
キッチンでも ずっとそうだった!
そう! もっと 助けてって 言っていい!
み…みんな…!
同僚たちは全部お見通しで…! 悲しいはずの日が、幸せに変わった夜だった。

就職相談
倒産直後、私はビザ的に危うい状況にいた。
数ヵ月以内に新しい仕事を見つけないとビザが失効して…
ここにいることができなくなる…
ヨヨヨ…
焦る気持ちの中、同僚たちから次々と提案をもらい
オーナーがチカに連絡取りたいって!
ピコン
この寿司レストラン紹介できるよ!
ピコン
このレストラン、チカに合うと思う!
失業直後すぐにいくつかのお声がけを頂くことができた。
しかし…就労ビザ滞在の危うい状況を知ったうえで
就労ビザのために、この契約書が必要なんでしょ?
と、無茶な要望を迫られることもあった。

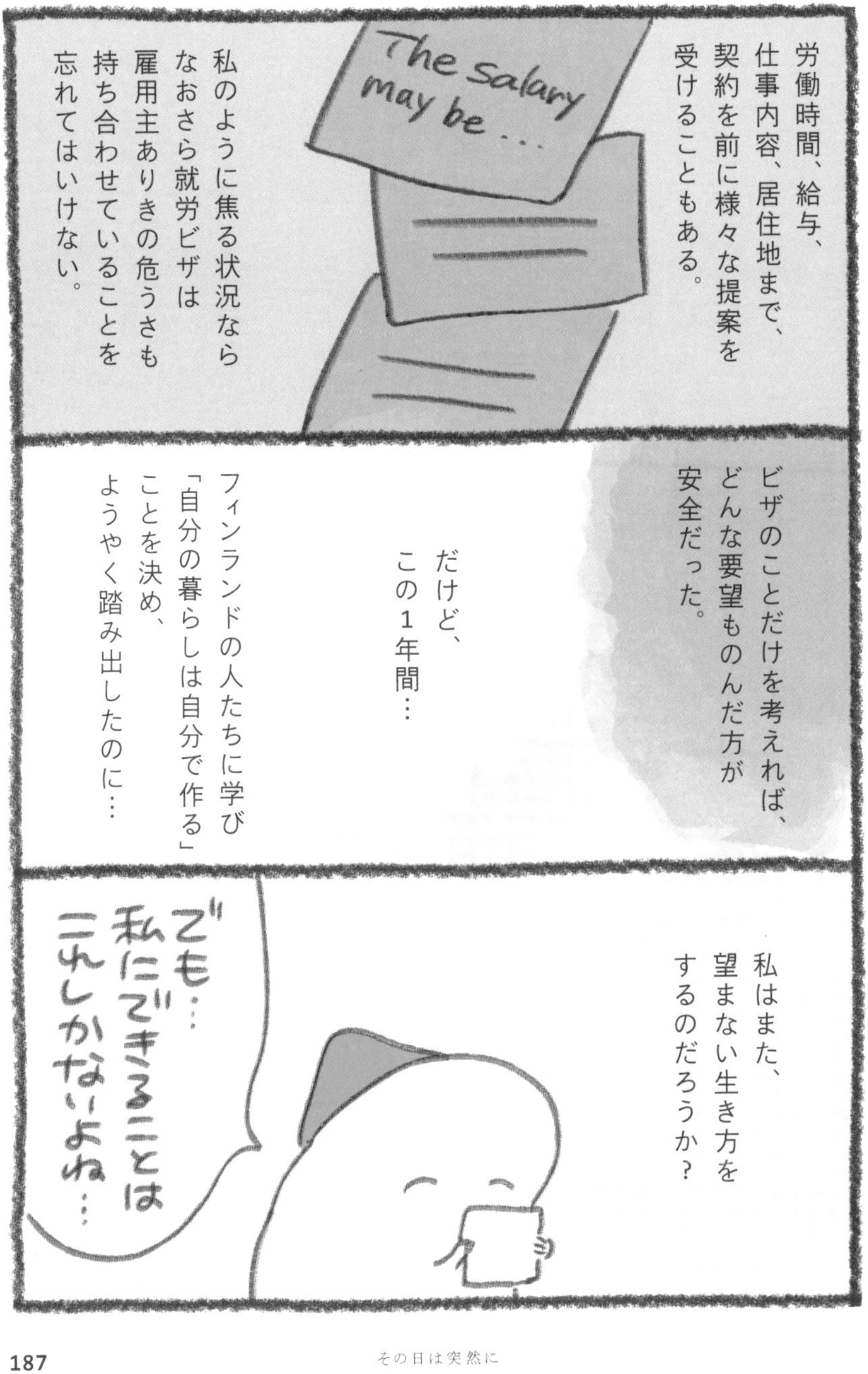
労働時間、給与、
仕事内容、居住地まで、
契約を前に様々な提案を
受けることもある。
The salary may be...
私のように焦る状況なら
なおさら就労ビザは
雇用主ありきの危うさも
持ち合わせていることを
忘れてはいけない。
ビザのことだけを考えれば、
どんな要望ものんだ方が
安全だった。
だけど、
この1年間…
フィンランドの人たちに学び
「自分の暮らしは自分で作る」
ことを決め、
ようやく踏み出したのに…
私はまた、
望まない生き方を
するのだろうか？
でも…
私にできることは
これしかないよね…

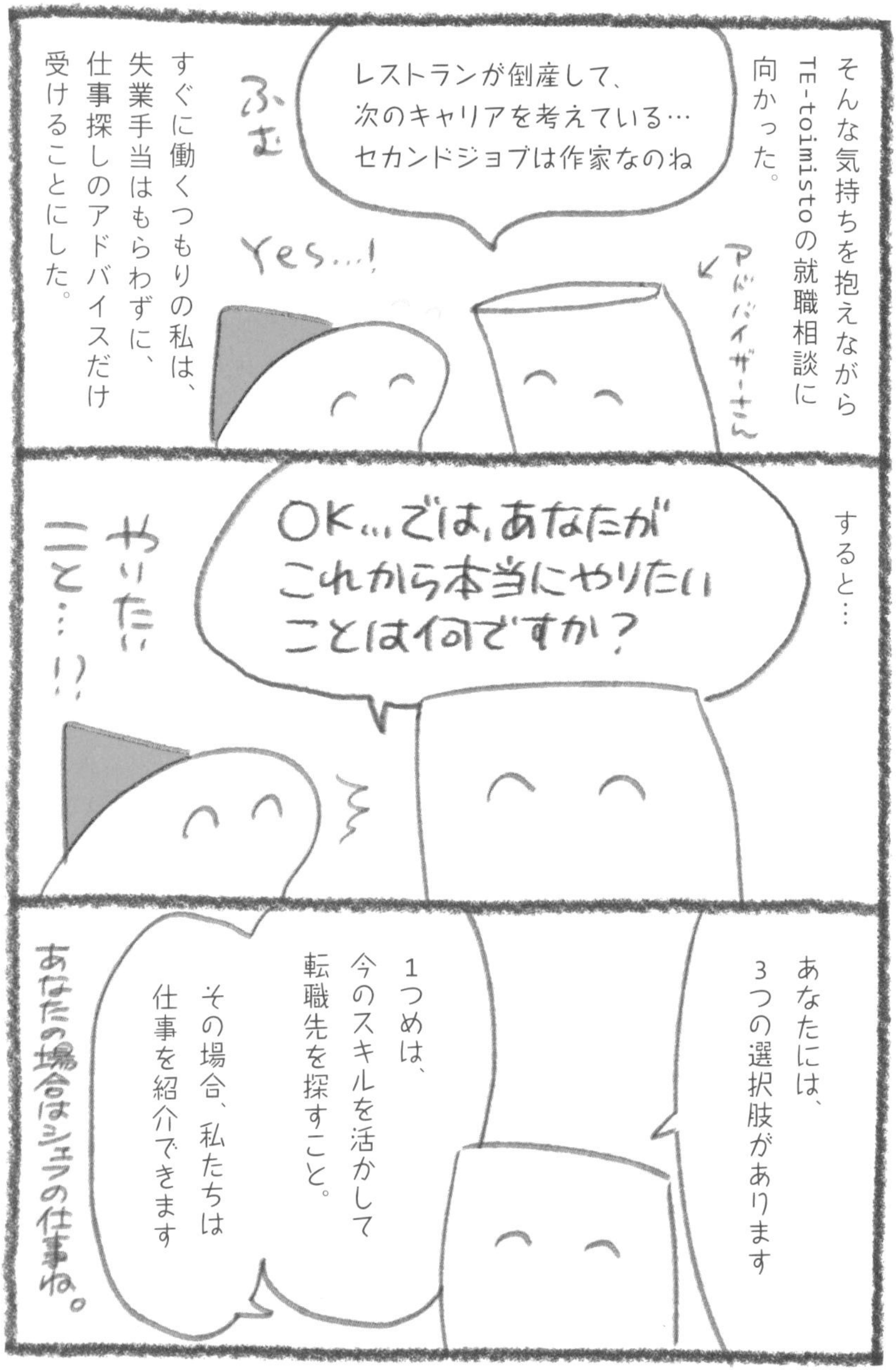

そんな気持ちを抱えながらTE-toimistoの就職相談に向かった。
アドバイザーさん
レストランが倒産して、次のキャリアを考えている…セカンドジョブは作家なのね
ふむ
Yes…!
すぐに働くつもりの私は、失業手当はもらわずに、仕事探しのアドバイスだけ受けることにした。
すると…
OK…では、あなたがこれから本当にやりたいことは何ですか？
やりたいこと…!?
あなたには、3つの選択肢があります
1つめは、今のスキルを活かして転職先を探すこと。
その場合、私たちは仕事を紹介できます
あなたの場合はシェフの仕事ね。

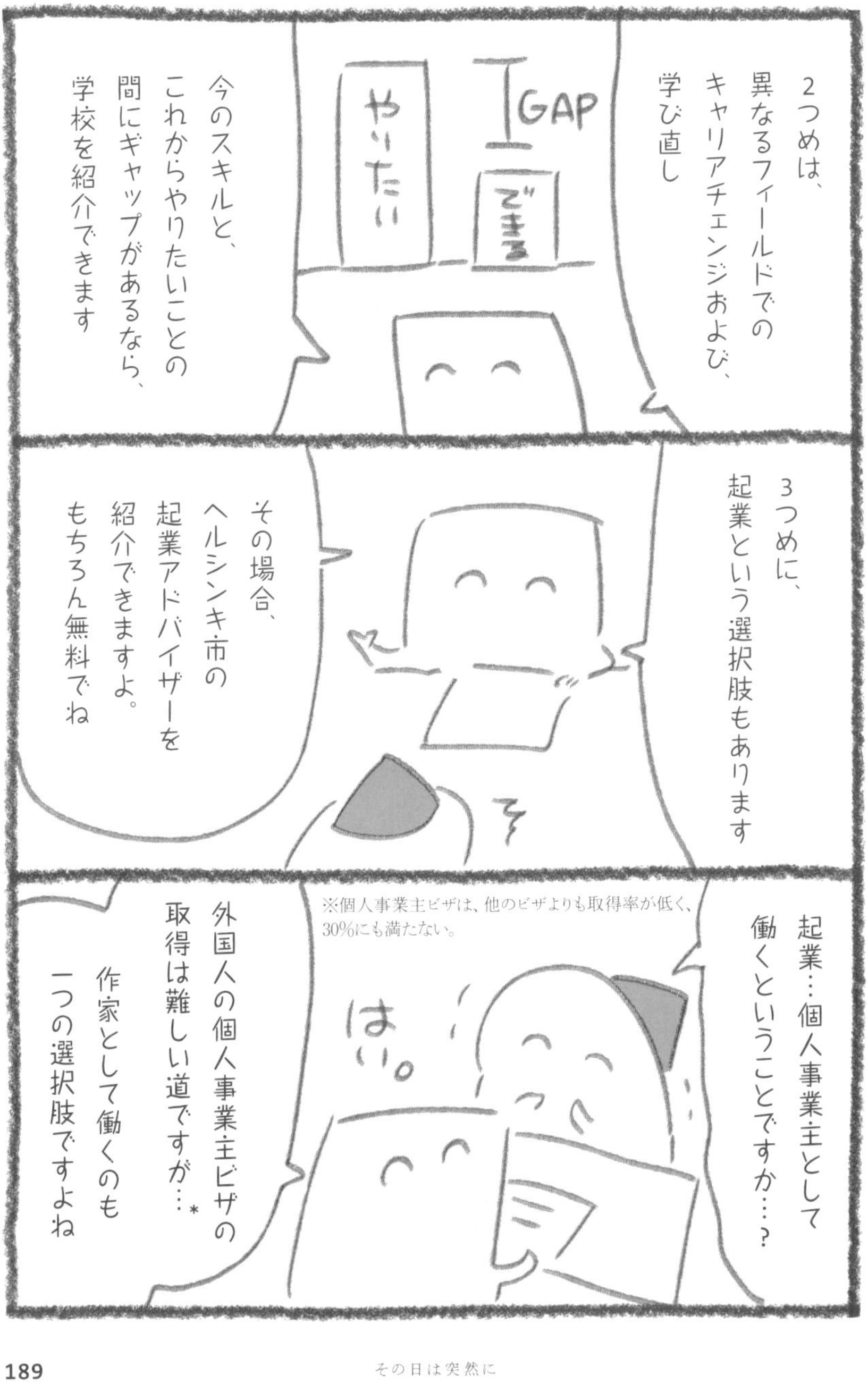
2つめは、異なるフィールドでのキャリアチェンジおよび、学び直し
GAP
できる
やりたい
今のスキルと、これからやりたいことの間にギャップがあるなら、学校を紹介できます
3つめに、起業という選択肢もあります
その場合、ヘルシンキ市の起業アドバイザーを紹介できますよ。もちろん無料でね
起業…個人事業主として働くということですか…?
※個人事業主ビザは、他のビザよりも取得率が低く、30%にも満たない。
はい。
外国人の個人事業主ビザの取得は難しい道ですが…*
作家として働くのも一つの選択肢ですよね

今日ここに来る前…
同僚にこう言われていた。

チカさんが
〝できること〟ではなくて…
〝本当にしたいこと〟を
伝えていいんだよ

人は、
本当にしたいことを
仕事にした時、
生産性が最大化する。

したくないことをして
力が発揮できないより、
本当にしたいことをして
一人一人が力を
発揮したほうが、
よりよい社会になる。

それが
フィンランド社会の
考え方だし、
就職支援の考え方でも
あるんだから。

少しでも
できることがあるなら、
それを活かして
すぐにでも働かなきゃ！
と思っていたけれど…
まさか
〝本当にしたいこと〟を
聞かれるなんて…！
考えてみますッ…！
GOOD LUCK!
わかりました。
決まったらすぐ
連絡くださいね。
一応すべての情報を
コピーして渡しますね
みっちり！
いろんな選択肢が
あるんだ…！
この就職相談で…
私の人生の視野が、
ぐっと広がった気がした。

失業旅行

ある日手に取った本に
書いてあった言葉。
〝ラップランドは
生活がシンプル
だからこそ
自分にとって
大事なものに
気づきやすい場所です。〟
ラップランド…
行ってみようッ!!
ジーニアス!
ひとつの節目として…
そして、次の選択を
考える旅として
私はラップランドに
行くことにした。
夜23時半にヘルシンキから
出発する夜行列車
サンタクロースエクスプレスに
乗り、北を目指す。

レストラン車両から
離れてゆくヘルシンキの
街を眺めながら…
不安いっぱいの気持ちが、
旅の終わりに
どう変化していくのか
少し楽しみになった。
個人事業主として
異国で自立する道なんて、
今まで考えたこと
なかったな…
日本ですら…。
当たり前バスから降りた
今のタイミングだからこそ…
そんな選択肢も心に
スッと入ってきた気がする。
でもさすがに…リスクが
高すぎるよ〜〜〜〜ッ
悩む私を、緑の列車は
北へ北へと運ぶ。
サンタクロースの住む、
ロヴァニエミの街へと。

あの時の手紙
雪の積もるロヴァニエミの街にやってきた。

4年ぶりだ…!!

フィンランドに移住して、初めてのひとり旅だ。

甥っ子にサンタからの手紙が届くように手続きをしようと、サンタクロース村にある郵便局に向かうと…

んっ?

これって…

LETTERS TO SANTA CLAUS
そこには、世界中からサンタクロース宛てに届いたたくさんの手紙の山が!

わ〜…
国別になってる…
JAPAN
日本も
ツバルもある…！
あの日…8歳の頃に書いた
サンタさんへの手紙も
ここに届いたんだろうか。
…そう思うと、
なんだか胸が熱くなった。
サンタ村の郵便局からは
クリスマスの時期に
手紙を届けてくれる
ポストがあるので
これにしよう！
私も自分宛てに
絵葉書を出すことにした。

しかし…
・・・
私…今年の12月、
まだフィンランドに
いられるのかな…
キュ…
まだいる?
PRIORITY
FINLAND
HELSINKINO
DOKOKA
Chika
カコン…
サンタの街から
たった一言の
〃生存確認の絵葉書〃が
届くころ…
私はどこで、
何をしているだろう。

ラップランドひとり旅で訪れた場所

おすすめを教えて下さった
みなさま、本当に
Kiitos!

アルクティクム博物館

ここは「北極圏博物館」。フィンランドだけでなく、
世界中の〝北極圏〟を知ることができる。
併設されたカフェはケーキもランチビュッフェも美味しくて、
2日連続で通ってしまった。オーロラシーズンには、
博物館前の凍った川の上が絶好のオーロラスポットへと変わる。

世界最北端のマクドナルド

ロシアからマクドナルドが撤退したことで、
再び世界最北端となった
ロヴァニエミのマクドナルド。
店員さんに
ポストカードを
くださいと伝えると
オーロラの
ポストカードを
貰うことができる。

The Northernmost
McDonald's in the World

Ravintola Roka Street Bistro

ラヴィントラ　ロカ　ストリート　ビストロ

地元の人にも愛される小さなビストロ。
何を食べてもあまりに美味しくて、
2日連続で訪れた。トナカイや
ニシンも楽しめる前菜盛り合わせと、
グリルサーモンのレモンリゾット添えが
特にお気に入りだ。

korundi House of Culture

カルチャーハウス　コルンディ

何気なく立ち寄った美術館の窓辺が美しかった。
この窓辺に佇む〝Gold dust（流れ星）〟と名のついた木に一目惚れし、
ヘルシンキ中を探し回って自宅にお迎えした。

Nili Restaurant
ニリ　レストラン

実ははじめてのラップランド旅でも訪れていたことを
今回の旅で思い出すことができた。ずっと再訪したいと願っていた、
トナカイのソテーとブルーベリーワインが美味しいレストランだ。

Kotileipomo Antinkaapo
コティレイポモ　アンティンカーポ

街の小さなケーキ屋さんには、
季節のフルーツを使った
ケーキがショーケースに並んでいた。
ラップランドで採れる
黄色いクラウドベリーを使った
ケーキと紅茶を楽しんだ。

Vintikki
ヴィンティッキ

ロヴァニエミの
セカンドハンドショップには、
お宝がたくさんあった。
いつか機会があれば
迎えたいと思っていた
ムーミンパパのマグを、
旅の思い出に連れ帰った。

ロヴァニエミ市立図書館

アルヴァ・アアルトが設計した図書館は、
建物も椅子も机も照明も…すべてが素敵だった。
室内を優しく照らしていた
A810というフロアランプを、
いつか私も
お迎えしたいと思った。

ラップランドの空の下

私の
〝人生のやりたいこと〟の
夢のひとつ。
〝ラップランドで
オーロラを見てみたい〟
4年前のラップランド旅では、結局一度も見ることができず…
くもりだねー
だねー
今回のラップランド旅でもう一度チャレンジしたかった。
ロヴァニエミの夜、天候は晴れ。
ザク
ザク
オーロラガイドさん
暗い森を抜け、凍った湖を目指すと…

空いっぱいのオーロラが
夜空を駆けていた。

すごい…
その夜…オーロラは
消えることなく
夜空の大海原を泳ぎ続け、
時間を忘れて
オーロラを眺めた。
帰り道…
私…
やってみよう。

自分が本当にしたいこと。
たとえ安全な道じゃなくても…
自分の心に、正直な道を選ぼう。
せっかく…夢の先まで来たんだから…！
それに…もしダメでも、その時は It is what it is. です！
ぐっ
影響受けてるねぇ…
ラップランドの空の下…
そんな大切な決心が
この旅の収穫になった

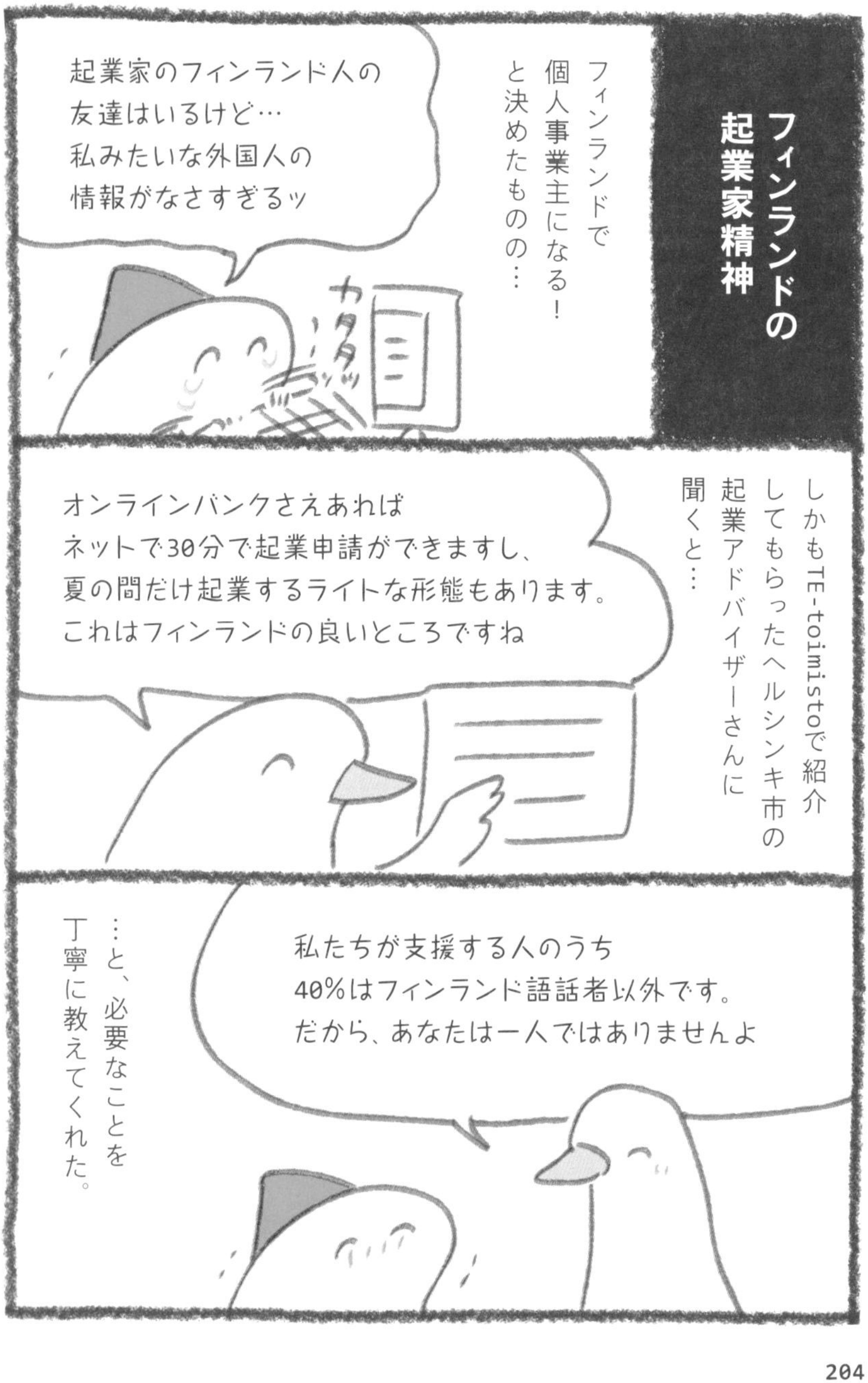
フィンランドの起業家精神
フィンランドで個人事業主になる！と決めたものの…
起業家のフィンランド人の友達はいるけど…私みたいな外国人の情報がなさすぎるッ
しかもTE-toimistoで紹介してもらったヘルシンキ市の起業アドバイザーさんに聞くと…
オンラインバンクさえあればネットで30分で起業申請ができますし、夏の間だけ起業するライトな形態もあります。これはフィンランドの良いところですね
私たちが支援する人のうち40％はフィンランド語話者以外です。だから、あなたは一人ではありませんよ
…と、必要なことを丁寧に教えてくれた。

けれど…外国人の個人事業主ビザの取得率は30%に満たない厳しい道です
私は取得した人に会ったことがない…
さらに、もし通過してもフィンランドで起業後に5年間ビジネスを維持しているのは50%以下…
そこで何より大切なのは「事業計画」を持つこと。だから私たちは最初に計画作りを伝えます
計画は、地図と同じ。ルートがわかれば、必要な時間や食料もわかる…
旅にも事業にも、地図は必要品なんです!
レクチャー
Start here
Financing for the business
EQUITY CAPITAL
心強いですッ
そしてパワポがおしゃれだ…

完成したら教えてください。次は対面でプランをブラッシュアップしましょう
そっ…そこまでしてくださるんですか⁉
そこまでしないと意味ないですから
フィンランド人の友達たちが若くして起業したのも…こうした支援があったから
自然と起業が人生の選択肢の中にあったのかな…
濃かった…
転んでも、起き上がる術《すべ》を少しでも多く知っていることは
こんな選択肢も私の人生にはあったんだ…
〝失敗しやすい〟柔軟な生き方を支えてくれるのかもしれない。
A
B
C
D

個人事業主ビザ
その後アドバイザーさんに作った資料を持っていくと…
これが私からのアドバイスです
まとめておきました
ノートいっぱい!
あと…
あなたの作ってるカルサリキャンニト*Tシャツ、最高だわ!
*外出せず一人下着姿で酒を飲むという意味のフィンランド語
my favorite!
KALSARIKÄNNIT
思わぬところで意気投合
こっ…
ここまでしていただいて…本当にありがとうございます…!!
いいえ、私は信じているんですよ

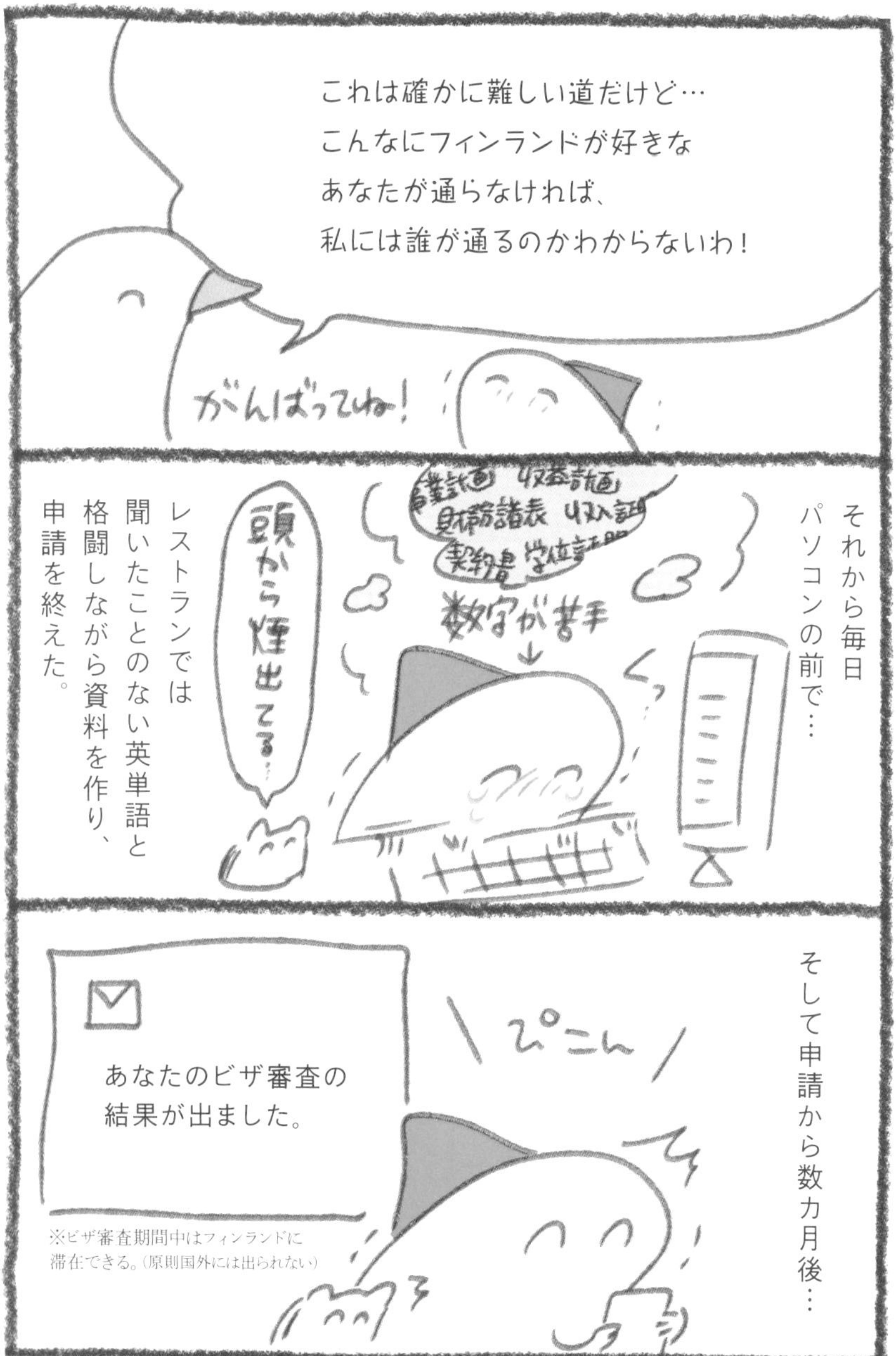
これは確かに難しい道だけど…
こんなにフィンランドが好きな
あなたが通らなければ、
私には誰が通るのかわからないわ！
がんばってね！
それから毎日パソコンの前で…
収益計画
財務諸表
数字が苦手
頭から煙出てる…
レストランでは聞いたことのない英単語と格闘しながら資料を作り、申請を終えた。
そして申請から数カ月後…
ぴこん
あなたのビザ審査の結果が出ました。
※ビザ審査期間中はフィンランドに滞在できる。（原則国外には出られない）

つ…
ついに
結果が
来てしまった…
怖いッ
ちょ…ちょっと待って…
もしダメだった時のために
次のプランを書き出して…
落ち着こう…
ネガティブすぎる…
…よし！
見ます…！
ぐっ
意を決して
結果を見ると…

Oleskelulupa myönnetään
“滞在許可が与えられます”
ダバー
とっ…通った…!!!
与えられた滞在期間は、今回も1年。
あなたにとってここからが本当の正念場です。
これからの1年の結果をもとに、私たちはあなたを再び1年後に審査しなければならないのです。
怖さはあるけれど、これからの1年は作家業を中心にすえて、副業はせずに自立を示すことも必要になる。

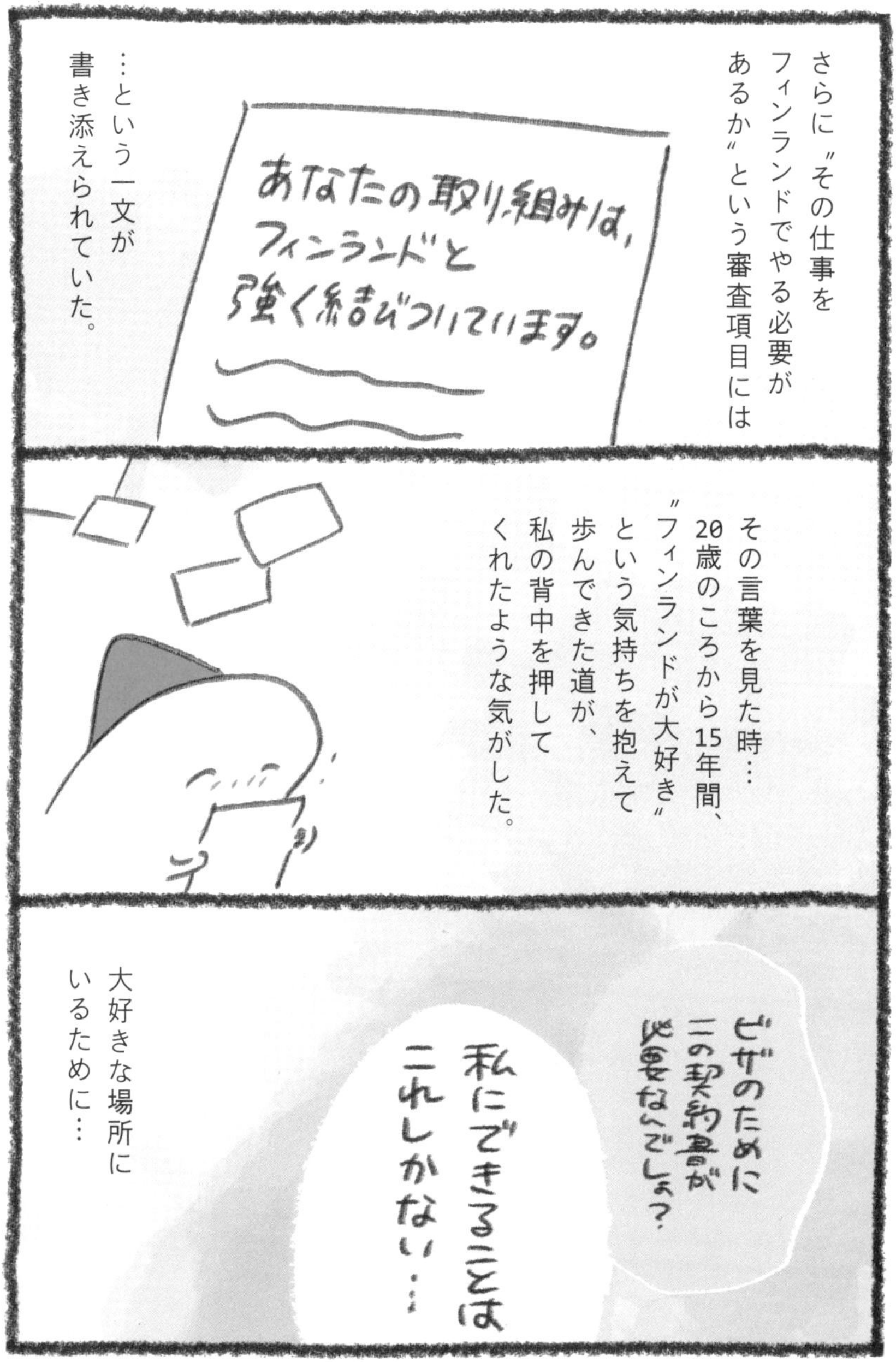
さらに"その仕事を
フィンランドでやる必要が
あるか"という審査項目には
あなたの取り組みは、フィンランドと強く結びついています。
…という一文が
書き添えられていた。
その言葉を見た時…
20歳のころから15年間、
"フィンランドが大好き"
という気持ちを抱えて
歩んできた道が、
私の背中を押して
くれたような気がした。
ビザのために
この契約書が
必要なんでしょ?
私にできることは
これしかない…
大好きな場所に
いるために…

見過ごしそうになった
大切なことを、
フィンランドに生きる
人たちが教えてくれた。
そして…
ラップランドで
できた、
新しい決意。
ここにいるためだけに
自分が望まない生き方を
選ぶのはやめよう
可能性は低くても…
自分の心が、
一番しっくりくる
道を選ぼう！
大切なのは、
どこで生きるかではなく
〝どう〟生きるかなんだ。

はたから見れば…
ただビザの種類が
変わっただけかもしれない。
だけどそれは
私にとって…
私…ここに
いてもいいんだ…
私のまま、ここで
生きてもいいんだ
「自分として
生きていく」ための、
大きな決断になった。

それぞれの道
倒産からしばらく経った頃…
みんなで いつものバーで 飲まない?
キンクマさんのひと声で みんなで集まることになった。
みんなその後 どう過ごしてた?
僕は ミシュランの レストランで 働くことになった
さ、さすが チョコネコさん…!
僕は今日まさに 面接だったよ!
お互いの店の 社員割引使って 食べ合いっこ しようよ
いいね。 絶対やろう
相変わらず 仲良しだな…
こうやってヘルシンキの シェフコミュニティは つながっていくんだね。

僕は、じつはずっと
セカンドジョブとして
バリスタをしていて…
そっちをメインに
しようと思ってる
えっ!?
そうだったの!?
知らなかった…!
これを期にずっと
憧れてた美容師の学校に
進むことにしたんだ!
この出来事は
いい節目なのかもしれない
と思ってね
ヘアモデル
なってね!
もちろん!
チカも
がんばってね
応援してるよ!
うん!
このレストランで
みんなと働くために
フィンランドに来れたのは

まるで本当に、一瞬だけ瞬く流れ星に飛び乗ったような奇跡だった。
じゃあ改めて…みんなの新しい門出に…
キッピーッス

今日もまたひとつ、
この街で
新しいレストランが生まれ、
そして消えていく。

だけどこの場所に…
何人もの夢を乗せて
航海に出た
ひとつのレストランが
あったこと。

テーブルにたくさんの
笑顔と愛を灯し、
魂を尽くした
シェフたちが
いたことを

私は一生
忘れないだろう。
航海は続いていく。
これからも、
この街で。

「とりあえず、やってみる」
これは、私の長年のモットーだ。

人から難しいと言われたことも、
素晴らしいと言われたことも、
興味を持って自分でやってみる。

「やっぱりそうだった」という出会いもあれば、
「私にとってはこうなんだ」と知る出会いもある。
フィンランド1年生も、まさに百聞は一見にしかずの連続だった。

中には「ああ、これはあの人が言っていた言葉だ」と
何年も後になってその意味がわかる出来事もある。
当時「頭ではわかっていた」ものが、
実際にやってみたことで「心からわかる」になり
自分だけの答えとして「これからの生きる指針」になる。

もっと近道ができたかもしれないけれど、
等身大の自分で受け止めた経験だけが

うれしいことも、悲しいことも、
かけがえのない宝物に変えてくれた気がする。

ある時、日記を読んでくださっている方々から
一度に多くのメッセージをいただいた日があった。
そこには、読んで感じたこと、そして行動したこと…
一人一人の宝物のような経験が温かく綴られていた。

うれしい時、そして時には悲しい出来事から生まれた宝物が
ギフトとして誰かの心に届き、また私の心に返って来た瞬間。

〝人生は、何が起こるかわからない。
けれど、きっと起こること全てに意味がある。
そしてその意味は、ずっと後になってわかる日が来るのかもしれない〟
そんな言葉の意味が、心の奥からわかる気がした。

これから続く、フィンランド2年目の旅。
きっと見たことのない景色ばかりだと思うけれど、
それも「やってみないと見ることのできなかった」人生の景色として
大切にできたらいいなと思う。

この本を読んで下さった方々にとって、
「自分の目で見てみたい景色」は何か…
そんな話も、いつか語り合えると嬉しいです。

この度は本書を手に取ってくださり、
そして人生の様々な景色を見守ってくださり、本当にありがとうございました。
これから先の航海も、一緒に楽しめることを願って。Kiitos & moi moi!

週末北欧部 chika

週末北欧部 chika

北欧好きをこじらせてしまった元会社員。大阪府出身。フィンランドが好き過ぎて13年以上通い続け、ディープな楽しみ方を味わいつくした自他ともに認めるフィンランドオタク。会社員生活のかたわら寿司職人の修業を行い、2022年4月より寿司職人として移住の夢を叶える。モットーは「とりあえずやってみる」。そんなこじらせライフをSNSアカウント『週末北欧部』にて発信中。好きなものは水辺、ねこ、酒、1人旅。著書に『北欧こじらせ日記』『北欧こじらせ日記 移住決定編』(世界文化社)、『マイフィンランドルーティン100』(ワニブックス)、『かもめニッキ』『世界ともだち部』(講談社)などがある。

Twitter　@cicasca
Instagram　@cicasca
Blog　hokuobu.com

北欧こじらせ日記　シリーズ既刊

北欧こじらせ日記

「あの日フィンランドに出会っていなかったら、きっと私の人生は、全然別のものになっていたと思う」

　北欧に一目惚れしてから、少しでも好きなものに関わって生きたいと願って経た就職、失業、転職、中国勤務、カフェ修業…移住の夢を見つけるまでの、寄り道だらけの12年間をつづったシリーズ第1弾。

北欧こじらせ日記
移住決定編

フィンランド移住のために、会社員生活のかたわら寿司職人の修業を開始。夢を追う道で出会った人々や小さな決心の数々。そして13年越しに叶えた夢の先に待っていた景色とは…フィンランドで寿司シェフデビューを果たす前後の日々をつづった、シリーズ第2弾。

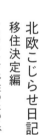

初版特典1
書き下ろしマンガ＆ラズベリークッキーレシピは
※公開期限は2024年11月までを予定しています。
こちら→

パスワード
moimoi

初版特典2
リバーシブル帯デザイン
裏面は移住1年目でそろえた北欧雑貨のオリジナルデザイン

写真　週末北欧部chika
デザイン　芝 晶子＆宮脇菜緒（文京図案室）
校正　株式会社円水社
販売　丸山哲治
PR　石井洋子
製作　黒澤金次
編集　杉山亜沙美

本書は手をはなしても本が閉じないようにするため、背表紙がありません。ゆったりとお楽しみください。

北《ほく》欧《おう》こじらせ日《にっ》記《き》 フィンランド1年生編

発行日　2023年11月20日 初版第1刷発行
著者　週末北欧部chika
発行者　竹間 勉
発行　株式会社世界文化ブックス
発行・発売　株式会社世界文化社
〒102・8195
東京都千代田区九段北4・2・29
電話　編集部 03・3262・5118
販売部 03・3262・5115
印刷・製本　中央精版印刷株式会社

ISBN978-4-418-23502-5